D0282044

TRISTAN ET ISEUT

Collection dirigée par Michel Zink et Michel Jarrety

BÉROUL

Tristan et Iseut

INTRODUCTION, TRADUCTION ET NOTES DE PHILIPPE WALTER

DOSSIER DE CORINA STANESCO

LE LIVRE DE POCHE
Classiques

Philippe Walter est professeur de littérature française du Moyen Âge à l'université de Grenoble. Il est l'auteur de nombreux ouvrages portant sur la présence des mythes dans la littérature médiévale, dont : *Canicule. Essai de mythologie sur « Le Chevalier au Lion » de Chrétien de Troyes* (SEDES, 1988) et *La Mémoire du temps : fêtes et calendriers de Chrétien de Troyes à « La Mort Artu »* (Champion-Slatkine, 1989), *Merlin ou le savoir du monde* (Imago, 2000). Il dirige la publication du *Livre du Graal* dans la Bibliothèque de la Pléiade.

Corina Stanesco est professeur certifié et docteur en littérature comparée. Elle enseigne à l'université de Strasbourg.

© Librairie Générale Française, 2000.

ISBN : 978-2-253-16072-4 - 1ʳᵉ publication - LGF

INTRODUCTION

L'extrême fascination exercée par la légende tristanienne sur toute la civilisation occidentale tient à des raisons à la fois sociologiques, psychologiques et littéraires. L'amour impossible de l'orphelin Tristan pour une reine d'Irlande qui deviendra l'épouse de son oncle est devenu le modèle idéal de toutes les histoires d'amour. Cette légende contient, à vrai dire, les ingrédients indispensables des histoires à succès. L'élan d'une passion irrépressible, des aventures héroïques et des exploits surhumains (des combats contre des monstres), le merveilleux ramené à des normes humaines (une boisson d'amour aux effets magiques), des personnages qui vont jusqu'au bout de leur destin (la mort d'amour et l'amour au-delà de la mort) et surtout l'art ingénieux ou subtilement subversif des auteurs qui ont « conté de Tristan », tout cela s'est uni dans le creuset mystérieux d'une tradition qui n'a certainement pas fini d'évoluer. Car le mythe tristanien n'est pas mort. Il continue de vivre, métamorphosé en des formes narratives diverses. L'exaltation des amours tragiques répondrait-elle à un secret besoin de malheur existant chez tout être humain ou à d'inavouables fantasmes suicidaires ?

Tout le monde connaît la légende tristanienne, ou plutôt tout le monde croit la connaître, selon des versions plus ou moins fluctuantes. Des premiers épisodes français racontés par Béroul jusqu'à *L'Éternel Retour*, le célèbre film de Jean Cocteau, en passant par l'opéra wagnérien, on ne compte pas les adaptations, réécritures, refontes, transpositions, allusions auxquelles a donné lieu l'histoire des amants cornouaillais. Et dans ce foisonnement artistique, il n'est pas toujours facile de retrouver la veine originelle du récit.

Blanchefleur, la sœur du roi Marc, a épousé le roi de Loonois. Apprenant la mort de son époux, elle meurt à son tour en mettant au monde un enfant qui portera le nom de Tristan. L'orphelin sera élevé par Gouvernal jusqu'à ce qu'il puisse fréquenter la cour de son oncle.

Le Morholt, beau-frère du roi d'Irlande, se présente à la cour de Marc pour exiger le tribut annuel qui lui est dû : des jeunes gens de Cornouailles appartenant aux meilleures familles. Tristan défie le Morholt et le tue. Un fragment de son épée reste dans le crâne du géant dont le corps est rapatrié en Irlande. Tristan, atteint d'une blessure incurable, se fait déposer dans une barque qui le mène au hasard des flots jusqu'en Irlande. Arrivé là-bas, il se déguise en jongleur et rencontre la fille du roi, la jeune Yseut. Elle le guérit parce qu'elle connaît le secret des herbes médicinales. Il lui enseigne à jouer de la harpe durant son séjour puis revient à la cour de son oncle.

Marc est célibataire. Ses barons le pressent de se marier ; il répond qu'il épousera la femme qui a des cheveux semblables à ceux qu'une hirondelle vient d'apporter. Tristan est chargé de ramener cette femme ; elle se trouve justement en Irlande. Tristan retourne donc dans ce pays, déguisé en marchand.

Arrivé dans l'île, il apprend que le roi d'Irlande a promis la main de sa fille à celui qui délivrera le pays d'un terrible dragon. Tristan tue le monstre, lui coupe la langue mais tombe inanimé. Le sénéchal qui a des vues sur Yseut trouve le dragon mort et se fait passer pour le vainqueur de la bête. Yseut ne le croit pas et retrouve Tristan. Elle le guérit à nouveau alors que Tristan reconnaît en elle celle que son oncle doit épouser. Tristan confond le sénéchal et emmène Yseut chez le roi Marc. La mère d'Yseut remet à Brangien, la servante de sa fille, une potion qui doit assurer le succès total du futur mariage. Grâce à cette boisson d'amour, Marc et Yseut seraient liés par une passion irrésistible. Pendant la traversée, Tristan et Yseut boivent par erreur la potion et sont saisis par un amour invincible.

Marc épouse Yseut mais, le soir des noces, Brangien prend la place d'Yseut dans le lit de Marc et sauve ainsi l'honneur de sa maîtresse. Tristan et Yseut éprouvent l'un pour l'autre une passion démesurée. Ils se donnent souvent des rendez-vous clandestins. Ils sont épiés par des barons jaloux qui les dénoncent au roi Marc. Un jour qu'ils se trouvent dans un verger, ils sont surpris par le roi Marc caché dans un pin. En adoptant un double langage, ils parviennent à se tirer d'affaire. Mais un nain astrologue au service de Marc monte un piège pour les surprendre à nouveau en flagrant délit d'adultère. Les amants se font prendre ; ils sont aussitôt arrêtés et condamnés au bûcher par le roi Marc.

Tristan échappe à la surveillance de ses gardiens et réussit à délivrer Yseut qui était sur le point d'être livrée à une troupe de lépreux lubriques. Les amants se réfugient dans la forêt du Morrois où ils vivent en exilés et dans le dénuement le plus complet.

Peu à peu, les effets de la boisson d'amour s'estompent. Le roi Marc surprend un jour Tristan et Yseut endormis mais dans un parfait état de chasteté. Il consent alors à reprendre son épouse et à lui pardonner son infidélité. Ses hommes exigent toutefois qu'Yseut se soumette à une procédure judiciaire où elle devra défendre son innocence. Grâce à un serment ambigu, Yseut se tire d'affaire, fort habilement. Par la suite, Tristan tue les barons calomniateurs mais il reste exilé et ne peut rencontrer Yseut comme il le souhaite.

Dans son exil, en désespoir de cause, Tristan épouse une femme qui ressemble à Yseut la Blonde et qui se nomme Yseut aux Blanches Mains. Il s'agit de la sœur de son ami Kaherdin. Toutefois, Tristan ne consomme pas le mariage.

La nostalgie de l'amour est trop forte. Tristan reste attaché à Yseut. Les amants inventent de multiples stratagèmes pour se rencontrer. Tristan se déguise en fou pour pouvoir pénétrer dans le château du roi Marc et parler à Yseut en toute impunité. Une autre fois, il invente un signe de reconnaissance à partir d'une branche de chèvrefeuille pour rencontrer Yseut dans une forêt. Mais ces retrouvailles sont toujours de courte durée.

Un jour, Tristan rencontre un chevalier malheureux qui se nomme Tristan le Nain. L'amie de ce dernier a été enlevée par un sinistre géant. Tristan combat le géant mais reçoit une blessure empoisonnée. Son ami Kaherdin part chercher Yseut la Blonde qui est la seule personne capable de guérir Tristan. Les deux amis conviennent d'un signe : si Yseut accepte de venir, le navire aura une voile blanche ; dans le cas contraire, il aura une voile noire. Yseut aux Blanches Mains a tout entendu. Pour se venger de Tristan, elle lui annonce que la voile est noire alors qu'elle est blanche. Tristan meurt de douleur et Yseut la Blonde meurt sur le corps de son amant car elle était venue le guérir.

Ce résumé simplifié de la légende additionne des épisodes qui ne se retrouvent jamais intégralement (et sous une forme fixe) dans des manuscrits complets. C'est pourquoi on peut mettre en doute l'existence d'un récit tristanien primitif dont découleraient toutes les versions partielles conservées. On peut penser que les « romans » tristaniens brodent sur un certain nombre de motifs traditionnels dont la cohérence nous échappe encore en grande partie. Par conséquent, revenir aux sources de la tradition tristanienne, c'est d'abord et avant tout scruter les textes les plus anciens qui nous l'ont conservée.

Le roman de Béroul est certainement le plus ancien de tous les fragments tristaniens. On situe sa composition entre 1150 et 1190 (la critique actuelle se rapproche plutôt de la première date que de la seconde). Conservé par une copie unique (le manuscrit français 2171 de la Bibliothèque nationale) qui date de la seconde moitié du XIIIe siècle, le texte comporte de nombreuses fautes et lacunes. D'illustres philologues ont scruté ce document unique mais souvent problématique et lui ont apporté leur zèle d'érudits. Ils ont cherché à le rendre plus « lisible » tout en s'efforçant de limiter au minimum les restaurations ou les corrections. Ce manuscrit est très abîmé. Les parenthèses et points de suspension de notre traduction correspondent à des passages totalement illisibles ou manquants. Béroul ne raconte que les épisodes qui vont de la rencontre clandestine épiée par Marc jusqu'à la mort des trois barons félons après la justification d'Yseut en justice. D'autres textes en vers français quasi contemporains de l'œuvre de Béroul racontent différents épisodes de la légende des amants. Il s'agit de la *Folie Tristan*, du lai du *Chèvrefeuille* de Marie de France et surtout du roman de Thomas d'Angleterre qui se conclut sur la célèbre mort d'amour de Tristan et Yseut. On pourra lire ces textes dans la traduction que nous avons établie pour la collection « Lettres gothiques » du Livre de Poche.

L'ensemble des vers tristaniens français a pu être composé entre 1150 et 1200. C'est indiscutablement l'époque la plus féconde et la plus admirable de la littéra-

ture narrative du XIIe siècle. Le romancier Chrétien de
Troyes écrit au moment où la légende tristanienne est à
la mode. Il fait allusion à ses thèmes principaux dans
plusieurs de ses romans. L'une de ses œuvres (*Cligès*) a
même été qualifiée parfois d'anti-*Tristan* car elle tente
d'exorciser la séduction trouble qu'exerça la légende tristanienne sur le public courtois de la deuxième moitié du
XIIe siècle. Chrétien ne réussira guère dans sa tentative
puisque, dès le XIIIe siècle, la légende tristanienne, toujours très en vogue, subira de nouvelles adaptations mais
en prose cette fois. Le nombre considérable de manuscrits
conservés, la qualité des miniatures qui illustrent ces
manuscrits témoignent du succès indiscutable de cette
histoire qui mêle pour le plus grand bonheur du lecteur
aventures chevaleresques et sentimentales.

GENÈSE DE LA LÉGENDE

Les origines de la légende tristanienne ont donné lieu
à bien des hypothèses et à des théories contradictoires. Il
ne saurait être question ici de les rappeler toutes. Dans ce
délicat débat sur les origines, on ne s'est peut-être pas
assez avisé du fait que la notion de « source » prêtait à
confusion. Les ressemblances constatées entre la matière
tristanienne et telle ou telle narration antérieure et exté-
rieure à cette matière ne prouvent pas obligatoirement que
la première imite la seconde. Elles ne suffisent pas non
plus à justifier une quelconque influence voire une dériva-
tion directe entre les deux traditions. Les travaux de
mythologie comparée menés par Georges Dumézil ont
établi que des analogies de motifs, de personnages ou de
structures peuvent s'expliquer par un héritage commun de
civilisation beaucoup plus que par des relations directes
d'influence. Ainsi, diverses mythologies indo-euro-
péennes ont conservé des structures ordonnées de motifs
que l'on retrouve par ailleurs dans les textes tristaniens.

Rien que dans le domaine celtique, il faudrait mentionner *La Poursuite de Diarmaid et Grainne* qui raconte les amours d'un jeune guerrier (Diarmaid) pour la fille du roi d'Irlande. Diarmaid refuse d'aimer Grainne pour rester fidèle à son roi, mais Grainne l'oblige à la suivre dans une forêt où elle vit avec lui une existence misérable. Chaque fois qu'il se couche à ses côtés, il place entre eux une pierre (on comparera cet épisode à celui du Morrois dans le roman de Béroul). Une autre fois, Grainne reçoit une éclaboussure d'eau sur la cuisse ; c'est une nouvelle incitation à la séduction (un épisode semblable figure chez Thomas). Diarmaid échappe à ses ennemis en accomplissant un saut prodigieux (exactement comme Tristan dans le roman de Béroul). On n'en finirait pas d'énumérer les analogies entre nos textes mais il faudrait également souligner d'irréductibles différences qui empêchent de conclure nettement à l'imitation directe d'un texte par l'autre.

Un texte persan *Wis et Ramin* raconte une histoire qui rappelle celle du trio Marc-Yseut-Tristan. La jeune Wis est amoureuse de Ramin mais elle est convoitée par Maubad qui rêve de l'épouser. Les deux amants sont constamment traqués par Maubad. Ils sont bannis comme les amants de Cornouailles. Un jour, Wis doit se soumettre à une procédure judiciaire pour prouver qu'elle n'a pas eu de relation avec Ramin, etc. Pierre Gallais a détecté les nombreuses analogies qui existent entre les deux textes ; elles ne sauraient effectivement relever du hasard. Il est difficile de conclure cependant que *Tristan et Yseut* « imite » *Wis et Ramin*. Par contre, on peut penser que les deux textes se réfèrent à une « mémoire » commune.

À l'évidence, les parallèles ne manquent pas. Certains sont très frappants, d'autres plus lointains, mais plutôt que de conclure hâtivement à l'influence directe de telle ou telle tradition sur les textes tristaniens français, il est

préférable de retenir la notion d'un *héritage mythologique
commun* que l'on qualifiera (sans doute provisoirement)
d'indo-européen. Celui-ci inclurait alors aussi bien la
branche persane que la branche celtique rattachées à un
même tronc commun de mythes et de traditions.

L'enquête mythologique exigerait de comparer entre
eux l'ensemble des témoignages indo-européens pour
mieux cerner la probable cohérence mythique qui a pré-
cédé la transformation du mythe en roman. Ce travail
reste encore à faire. Nous avons néanmoins entrepris une
première enquête sur ce sujet dans notre essai : *Le Gant
de verre ou le Mythe de Tristan et Yseut*. Toutefois, si
l'on veut saisir la provenance immédiate des traditions
tristaniennes, on peut déjà s'en tenir aux témoignages des
écrivains eux-mêmes. Béroul et Thomas nous livrent à ce
sujet des indications sûres et précises. Le fait mérite
d'être noté, car les écrivains du Moyen Âge sont plutôt
avares de confidences sur leur manière de travailler et ils
ne dévoilent pas volontiers leurs sources.

Évidemment, plus personne aujourd'hui n'imagine que
Béroul et Thomas sont les inventeurs de la légende tristanienne. Ils seraient plutôt des « auteurs », au sens médiéval du mot, c'est-à-dire ceux qui augmentent (en latin, le
verbe *augere*, « augmenter », est apparenté au mot *auc-
tor*), élaborent et enrichissent un canevas légendaire
hérité. Or, le témoignage des auteurs tristaniens concorde
sur un point capital : l'existence d'une tradition orale tristanienne particulièrement vivante en Cornouailles. D'anciens témoignages confirmeraient un ancrage géographique
de la légende en terre cornouaillaise. Un lieudit le « Gué
d'Yseut » (*Hryt Eselt*) attesté dans cette région au xᵉ siècle
ainsi qu'une stèle du viᵉ siècle découverte aux portes de
Lantien et portant le nom de Tristan (DRVSTANVS)
offrent déjà des indices conséquents. Même si la légende
n'est pas née en Cornouailles (tous les récits voyagent), elle

a probablement trouvé dans cette région un lieu privilégié de cristallisation.

De plus, à deux reprises dans son récit, Béroul apporte les preuves tangibles d'une tradition cornouaillaise de la légende. Tristan vient d'être arrêté par le roi Marc ; il échappe à ses gardiens en sautant d'une falaise et tombe en contrebas sur une pierre qui garde depuis lors la trace de ses pieds. Béroul précise alors : « Les Cornouaillais appellent cette pierre encore aujourd'hui le *Saut de Tristan*. » Notre romancier a donc entendu une légende toponymique, associée à un site particulier de Cornouailles et il prend bien soin d'en rappeler le souvenir. Notons qu'il existe des légendes semblables attachées à des pierres sur tout le domaine celtique. C'est par exemple le cheval de Charlemagne ou celui de saint Martin qui laissent leur empreinte sur tel ou tel mégalithe. Autour de ces sites gravitent des légendes et les conteurs médiévaux s'autorisent de ces traditions pour justifier leurs écrits : ils sont les chaînons d'une tradition anonyme. Autre exemple : lorsqu'Yseut, après sa fuite avec Tristan, retrouve le roi Marc, une cérémonie est organisée en l'église Saint-Samson de Lantien. Pour ancrer ce jour solennel dans toutes les mémoires, mais également pour l'honorer par un geste de prestige, Yseut offre un superbe tissu de luxe sur l'autel. On en fit une chasuble. Ce vêtement liturgique ne sort du trésor de la cathédrale qu'à chaque grande fête et il rappelle à tous le geste bienfaiteur de la donatrice. Là encore, Béroul précise que cette chasuble existe vraiment : des gens l'ont vue et leur témoignage mérite d'être considéré. « On dit que », « on raconte que », « je l'ai entendu dire » : à chaque fois, le conteur mentionne un témoignage oral qu'il serait parfaitement déplacé de mettre en doute. Il trouve dans l'anonymat de la rumeur légendaire une caution indiscutable pour son récit. En mentionnant les curieuses propriétés du château de Tin-

tagel, l'auteur de la *Folie* d'Oxford invoque le témoignage des « paysans ». Ceux-ci disent en effet que le
château disparaît deux fois dans l'année, une fois en hiver
et une fois en été. On pourrait là encore suspecter une
caution purement fictive destinée à mystifier le lecteur ou
à lui faire croire des choses invraisemblables. Il n'en est
rien : ce témoignage est parfaitement crédible car des
contes folkloriques (ou des mythes du domaine indo-
européen plus particulièrement) présentent ce motif à de
nombreuses reprises.

Ainsi donc, la légende tristanienne prendrait forme sur
le terrain mouvant de traditions principalement (mais non
exclusivement) orales. Elle se construit sur des épisodes
probablement indépendants et fort anciens qui ont été pro-
gressivement adaptés à la sensibilité du public des cours
princières. En fait, si l'on en croit Thomas, il ne faudrait
pas parler d'*une* légende tristanienne mais de plusieurs.
« Ce conte est très divers », précise ce contemporain de
Béroul. Comprenons par là que chaque conteur possède
sa version des faits. Parfois, les épisodes se ressemblent
mais, le plus souvent, ils divergent (« ils content diverse-
ment »). C'est ce qui rend le travail d'unification si difficile pour Béroul et Thomas. Car le romancier se trouve
dans la situation du rhapsode qui doit coudre ensemble
des épisodes discontinus et indépendants les uns des
autres (« j'unifie le conte par mes vers »). Il doit intro-
duire *l'unité* dans la diversité anarchique de traditions
légendaires souvent contradictoires entre elles. C'est
l'aveu d'une certaine instabilité ou « mouvance » de la
tradition orale. Les légendes possèdent une vie propre et il
est impossible d'en contrôler la mouvance voire la dérive.

Il est tout aussi difficile de mesurer l'ampleur exacte
de la créativité des conteurs. Il va de soi en effet qu'ils
ont dû transformer en un sens effectif mais limité certains
épisodes dont ils héritaient. Ils ont parfois été contraints

de réinventer des épisodes manquants à cause des défaillances de leur mémoire. Ils ont pu également modifier tel ou tel épisode dont ils ne comprenaient plus le sens. Le rôle des conteurs professionnels dans la diffusion des légendes celtiques est souligné par Thomas lui-même. Il donne le nom du plus illustre de ces personnages : c'est « Bréri qui connaissait tous les récits épiques (*gestes*) et les contes au sujet de tous les rois et comtes qui ont vécu en Bretagne » (v. 849-851). *Bréri* réapparaît dans plusieurs textes français de la fin du XIIᵉ et du début du XIIIᵉ siècle. On le mentionne, parfois sous le nom de *Blihis*, comme l'autorité suprême en matière de contes. C'est sans doute le même qui apparaît sous le nom de *Blihos Bliheris* avec le rôle d'un chevalier-conteur dans une « élucidation » du *Conte du Graal* de Chrétien de Troyes. Vaincu par Gauvain, ce chevalier aurait raconté pour la première fois à la cour du roi Arthur les fabuleuses aventures de la Table Ronde. On notera que dans l'adaptation allemande de *Tristan* par Eilhart d'Oberg, un chevalier du nom de *Pleherîn* joue un rôle de messager-conteur tout à fait comparable.

Les érudits ont naturellement recherché la trace de ce *Breri-Bleheri* dans les archives. Ils ont trouvé un Gallois conteur d'histoires galloises qualifié de fameux fabulateur (*famosus ille fabulator*) par Giraud de Cambrie à la fin du XIIᵉ siècle. Ce Bréri en fait *Bledri ap Dadivor* était un noble gallois allié des Normands qui venaient d'envahir la Grande-Bretagne. Il aurait vécu entre 1070-1080 et 1130-1140 et portait dans les chartes le titre de *Latinarius*, c'est-à-dire « interprète ». Cette qualité est importante car elle pourrait indiquer que notre personnage était au moins bi-sinon trilingue (il devait parler le gallois, le latin et l'anglo-normand). Il a donc dû jouer un rôle décisif dans l'adaptation en langue étrangère des légendes de son pays et dans la diffusion de celles-ci sur le continent. On sait maintenant que c'est le canal grâce auquel la « matière de Bretagne » a pu arriver sur le continent et c'est la raison pour laquelle les premiers romans français qui ne sont pas adaptés des œuvres antiques ont pour cadre l'Angleterre ; c'est le cas pour les romans de Chrétien de Troyes et les romans tristaniens entre autres.

Ce passage à l'écriture donne une nouvelle impulsion à de vieux récits issus de la tradition orale. À la fluctuation primitive des traditions s'opposent à présent la recherche d'une cohérence esthétique et littéraire, un travail d'écriture, de moralisation ou d'idéalisation de l'Aventure. Un autre destin commence pour une légende désormais promise à une incomparable postérité. Un nouveau mythe littéraire est né.

Philippe WALTER.

Tristan et Iseut

Paris, Bibliothèque nationale, ms. fr. 2171, fᵒ &-32.

Il existe plusieurs formes admises du nom d'Iseut : Yseut, Iseult, Yseult, etc. Pour notre traduction nous avons retenu la forme figurant dans le manuscrit original de Béroul : Yseut.

(...) qu'il ne laisse rien paraître [1]. Écoutez comme Yseut prend les devants, tout en s'approchant de son ami :

« Sire Tristan, par Dieu le roi du ciel, vous me causez du tort en me faisant venir à une heure pareille ! »

Elle fait alors semblant de pleurer. (...)

« Par Dieu qui créa l'air et la mer, ne me faites plus venir à des rendez-vous comme celui-ci ! Je vous le dis bien, Tristan, et à regret, je ne viendrais certainement pas. Le roi pense, seigneur Tristan, que j'ai éprouvé pour vous un amour coupable ; mais, je prends Dieu à témoin que j'ai été fidèle ; qu'il me frappe de son fléau si un autre homme que celui qui m'eut vierge fut jamais mon amant ! Même si les félons de ce royaume pour qui vous avez jadis combattu et tué le Morholt [2] lui font croire, il me semble, que l'amour nous unit, vous n'avez pas, seigneur, un tel désir. Moi non plus, par le Seigneur tout-puissant, je n'aspire pas à une liaison déshonorante. Je préférerais être brûlée et que le vent disperse mes cendres plutôt que d'aimer, tant que je vivrai, un autre homme que mon

---

1. Le début du manuscrit est mutilé. Au moment où le texte commence, le roi Marc, averti que Tristan et Yseut ont rendez-vous près de la fontaine, s'est caché dans l'arbre qui la surplombe afin de les surprendre. Mais les amants aperçoivent son reflet dans l'eau et, en usant d'un double langage, donnent à leur conversation un tour qui persuade le roi de leur innocence.   2. Géant d'Irlande qui venait exiger tous les ans en Cornouailles un tribut de jeunes gens qui disparaissaient ensuite à tout jamais. Pour mettre fin à cette coutume barbare, Tristan tua Morholt dans un combat singulier.

mari. Eh, Dieu ! Pourtant, il ne me croit pas ! Je peux le
dire : je suis tombée de haut ! Sire, Salomon dit vrai :
ceux qui soustraient le larron au gibet ne s'en feront
jamais aimer[1]. Si les félons de ce royaume (...) ils
devraient cacher (l')amour. Elle vous a fait terriblement
souffrir, la blessure que vous avez reçue dans le combat
contre mon oncle. Je vous ai guéri. Si vous êtes devenu
mon ami, par ma foi, ce n'est guère étonnant. Et ils ont
fait croire au roi que vous m'aimiez d'un amour malhonnête. Si c'est ainsi qu'ils pensent faire leur salut, ils ne
sont pas prêts d'entrer au paradis. Tristan, évitez de me
faire venir en quelque lieu et pour quelque raison que ce
soit : je ne serais pas assez téméraire pour oser y aller. Je
suis restée trop longtemps ici, je dois l'avouer. Si le roi
savait un seul mot de tout ce qui se passe, je serais écarte-
lée et ce serait une grande injustice ; je suis certaine qu'il
me donnerait la mort. Tristan, assurément, le roi ne
comprend pas que c'est à cause de lui que j'ai de l'affection pour vous ; vous m'étiez très cher parce que vous
étiez de son lignage. Jadis, il me semblait que ma mère
aimait beaucoup la famille de mon père. Elle disait que
jamais une épouse ne pouvait tenir à son mari si elle n'aimait pas aussi la famille de celui-ci. Assurément, elle
disait vrai. Seigneur, à cause de lui, je vous ai beaucoup
aimé et j'ai perdu pour cela ses faveurs.

— Certes, il n'en (...).

Pourquoi serait... (...).

Ses hommes lui ont fait croire à notre sujet des choses
qui ne sont pas vraies.

— Seigneur Tristan, que voulez-vous dire ? Le roi,
mon mari, est fort courtois. Il ne lui serait jamais venu à

---

1. Ce n'est pas exactement la formulation biblique (voir Proverbes,
XXVIII, 17 ou XXIX, 10). Un extrait du dialogue de *Salomon et Marcoul*
indique : « Celui qui amène un bandit chez lui en retire toujours un
dommage, Salomon le dit. »

l'esprit que nous puissions avoir de telles pensées. Mais on peut conduire un homme à commettre le mal et à délaisser le bien : c'est ce que l'on a fait avec mon mari. Tristan, je m'en vais, je suis restée trop longtemps ici.

— Dame, pour l'amour de Dieu, pitié ! Je vous ai fait venir et vous êtes ici. Écoutez un peu ma prière ! Je vous ai tant chérie ! »

En entendant parler son amie, Tristan comprit qu'elle s'était aperçue (de la présence du roi). Il rend grâce à Dieu ; il sait maintenant qu'ils s'en sortiront.

« Ah ! Yseut, fille de roi, noble et courtoise, à plusieurs reprises j'ai demandé à vous voir en toute bonne foi depuis que la chambre royale me fut interdite et qu'on m'a empêché de vous parler. Dame, je veux maintenant vous supplier de vous souvenir de ce malheureux qui endure tourments et grandes peines car je suis si affligé que le roi ait pu penser mal des sentiments que je vous porte qu'il ne me reste qu'à mourir. (...)
ne crut pas les mauvaises langues, m'éloigner de sa présence. À présent, les félons de Cournouailles s'en réjouissent et plaisantent. Maintenant, je comprends bien, il me semble, qu'ils ne voudront pas le voir garder à ses côtés un homme de son lignage. Son mariage m'a causé bien des ennuis. Dieu ! Pourquoi le roi est-il si inconséquent ? Je préférerais être pendu à un arbre plutôt que de devenir un jour votre amant. Il ne me permet même pas de me justifier[1]. À cause de ses félons, il me poursuit de sa colère ; il a bien tort de les croire. Ils l'ont trompé et il n'y voit goutte. Je les vis bien silencieux et muets quand le Morholt arriva ici ; pas un n'osa prendre les armes. Je vis alors mon oncle très préoccupé ; il aurait mieux aimé être mort que vivant. Pour accroître son honneur, je pris les armes, je combattis et chassai le Morholt. Mon oncle

---

1. Allusion à un serment de nature juridique. Celui qui le prête cherche à se justifier d'une accusation qu'on porte sur lui.

bien-aimé ne devrait pas croire les délateurs à mon sujet. Cela ne cesse de m'affliger. Pense-t-il que cela ne lui causera aucun tort ? Oui, assurément, il n'en sera pas autrement. Pour l'amour de Dieu, le fils de sainte Marie, ma dame, dites-lui sans tarder de faire préparer un grand feu et moi, j'entrerai dans le brasier. Si un seul poil de la haire que j'ai revêtue est brûlé, qu'il me laisse me consumer tout entier. Car je sais bien qu'il n'y a personne à sa cour qui soit prêt à combattre contre moi. Dame, j'en appelle à votre grande générosité, n'avez-vous pas pitié de moi ? Dame, je vous en supplie : intervenez pour moi auprès du roi qui m'est si cher. Quand je vins vers lui en ce pays par la mer, je voulais revenir à lui comme vers un suzerain[1].

— En vérité, seigneur, vous avez tort quand vous me demandez de lui parler de vous pour qu'il oublie sa colère. Je ne veux pas encore mourir ni causer irrémédiablement ma perte. Il vous soupçonne gravement à mon sujet et moi, j'irais lui parler de cette affaire ? Ce serait se montrer trop hardie. Par ma foi, Tristan, je n'en ferai rien et vous ne devez pas me demander cela. Je suis toute seule dans ce pays. Il vous a interdit l'accès des chambres à cause de moi : s'il m'en entendait parler à présent, il pourrait bien me prendre pour une folle. Par ma foi, je ne lui en soufflerai mot ; mais je vais vous dire ceci et je veux que vous le sachiez bien. Par Dieu, s'il renonçait à sa rancœur et sa colère envers vous, beau seigneur, j'en serais heureuse et contente. Mais s'il apprenait cette rencontre, Tristan, je sais qu'il n'y aurait plus aucun recours contre la mort. Je m'en vais, mais je ne dormirai pas beaucoup cette nuit. J'ai grand peur que quelqu'un vous ait vu venir ici. Si le roi entendait dire que nous nous sommes rencontrés, il me ferait brûler sur le bûcher et il

---

1. Tristan veut dire qu'il voulait alors se conduire envers Marc comme doit le faire un vassal.

ne faudrait pas s'en étonner. Je tremble, j'ai grand peur. Cette peur qui m'étreint me force à partir. Je suis restée ici trop longtemps. »

Yseut s'en va. Il la rappelle :

« Dame, au nom de Dieu qui pour sauver l'humanité se fit homme et naquit d'une vierge, conseillez-moi par pitié. Je sais bien que vous n'osez rester plus longtemps. Mais à qui d'autre que vous puis-je me plaindre ? Je sais bien que le roi me déteste. Tout mon équipement m'a été confisqué. Faites en sorte qu'il me le rende : je m'enfuirai et ne m'attarderai pas. J'ai, je le sais, une telle renommée que, dans n'importe quelle contrée où je me rendrai seul, il n'y a pas une cour au monde où je puisse aller sans que le seigneur de l'endroit ne m'engage. Et s'il ne me donne pas d'argent, Yseut, par ma chevelure blonde, avant un an, mon oncle se repentira de m'avoir jugé comme il le fait et il sera prêt à donner l'équivalent de son poids en or pour réparer son erreur, je ne cherche pas à vous mentir. Yseut, pour l'amour de Dieu, pensez à moi ! Acquittez-moi envers mon hôte !

— Par Dieu, Tristan, je m'étonne fort de recevoir une telle demande. Vous voulez ma perte. Vos paroles ne sont pas très loyales. Vous connaissez les soupçons du roi, qu'ils soient justifiés ou qu'il s'agisse d'enfantillages. Par le Dieu glorieux qui créa le ciel, la terre et nous, s'il entendait que je veux faire lever vos gages [1], il se douterait de quelque chose. Vraiment, je ne suis pas si téméraire et je ne vous dis pas cela par méchanceté, sachez-le bien. »

Alors Yseut s'en va. Tristan la salue en pleurant. Sur le marbre sombre du perron, Tristan est appuyé, ce me semble, et se lamente pour lui tout seul :

---

1. L'hôtelier chez qui Tristan loge a gardé tout l'armement de celui-ci en gage. Yseut aurait les moyens de faire cesser cette situation.

« Ah ! Dieu, noble sire saint Evroul [1], je ne pensais pas faire une telle perte ni m'enfuir dans un tel état de dénuement. Je n'emporterai ni armes ni cheval. Je n'aurai pas d'autre compagnon que Gouvernal [2]. Ah ! Dieu, on fait peu de cas de l'homme démuni ! Lorsque je serai en pays étranger, si j'entends un chevalier parler de guerre, je n'oserai sonner mot : l'homme dénué de tout n'a pas droit à la parole. À présent, il me faudra souffrir les caprices de la fortune. Elle m'a déjà tant accablé de maux et de rancune. Cher oncle, il me connaissait bien mal celui qui m'a soupçonné à propos de la reine. Jamais je n'ai voulu commettre une telle folie. Cela ne me ressemblerait pas du tout.

(...) Le roi qui se trouvait là-haut dans l'arbre avait bien vu la rencontre et entendu toute la conversation. À cause de la pitié qui s'insinuait dans son cœur, il n'aurait retenu ses larmes pour rien au monde. Il éprouve une grande affliction ; il est plein de haine pour le nain de Tintagel.

« Hélas ! dit-il, maintenant j'ai compris que le nain m'a bien trompé. Il m'a bien fait monter dans cet arbre, il ne pouvait m'infliger une plus grande honte. Il m'a raconté des mensonges sur mon neveu ; pour cela, je le ferai pendre. Il a excité ma colère, m'a fait haïr ma femme et je l'ai cru. J'ai agi comme un idiot. Il va bientôt en être récompensé. Si je peux m'emparer de lui, je le ferai mourir par le feu. Entre mes mains, il connaîtra une mort plus cruelle encore que celle qui fut réservée à Segoçon par

---

1. Cet abbé du VIᵉ siècle est fêté le 29 décembre. Il aurait vécu en ermite dans la forêt d'Ouche, à l'est d'Exmes. Son culte est localisé dans les diocèses d'Évreux, Sées, Chartres, Coutances. On possède une *Vie de saint Evroul* en ancien français ; elle date du XIIᵉ siècle.
2. Gouvernal, souvent qualifié de maître chez Béroul, a formé Tristan au métier des armes. C'est un complice des amants. Comme il n'a pas de fief, il s'est mis au service de Tristan et lui apporte à plusieurs reprises son concours technique.

Constantin[1] : celui-ci fit châtrer le nain quand il le surprit avec sa femme. Il l'avait couronnée à Rome et les meilleurs chevaliers étaient à son service. Il la chérissait et l'honorait. Pourtant, il la maltraita mais il s'en repentit ensuite. »

Tristan est parti depuis un certain temps déjà. Le roi descend de l'arbre. Dans son cœur, il se dit que désormais il croit sa femme et non plus les barons du royaume ; ils lui ont fait croire une chose dont il sait bien qu'elle n'est pas fondée et dont il a constaté le caractère mensonger. Il n'aura de cesse que son épée n'ait infligé au nain ce qu'il mérite de telle manière qu'il ne puisse plus jamais raconter de calomnie. Plus jamais, Marc ne soupçonnera Tristan au sujet d'Yseut. Bien au contraire, il les laissera se rencontrer à loisir dans la chambre.

« À présent, j'en suis convaincu ! Si ce qu'on m'a raconté est vrai, l'entrevue ne se serait pas terminée de cette manière. S'ils s'étaient aimés d'un amour fou, ils ne se seraient pas gênés et je les aurais vus s'embrasser. Mais je les ai entendus se plaindre. Je sais bien qu'ils ne pensent pas (à mal). Pourquoi ai-je cru à une telle offense ? Cela me pèse et je m'en repens. C'est une folie de croire n'importe qui. J'aurais dû établir la vérité sur eux deux avant d'imaginer de folles présomptions. Cette soirée leur a été propice. Leur rencontre m'a tant appris que jamais plus je ne me ferai du souci. Au petit jour, Tristan sera récompensé, il aura la permission de rester dans ma chambre autant qu'il voudra. C'en est fini du projet de fuite qu'il envisageait pour demain matin. »

Parlons à présent du nain bossu, Frocin[2]. Il était dehors

---

1. Selon une légende médiévale, la femme de l'empereur Constantin devint la maîtresse d'un nain difforme nommé Segoçon par haine envers son mari. **2.** Personnage toujours malicieux et souvent maléfique, le nain est en relation avec les puissances occultes. Il détourne à son profit une science céleste, l'astrologie, qui au Moyen Âge se distingue mal de l'astronomie. Elle exerce une grande fascination sur les esprits depuis que de nombreux traités traduits de l'arabe commencent à se répandre en Occident.

et regardait le ciel. Il vit Orion et Lucifer[1]. Il connaissait le cours des étoiles et observait les sept planètes. Il pouvait prédire l'avenir. Quand il apprenait la naissance d'un enfant, il détaillait tous les points de sa vie. Le nain Frocin, rempli de malice, s'efforçait de tromper celui qui le tuerait un jour. Dans les étoiles, il perçoit les signes d'une réconciliation. Il rougit et enfle de colère. Il sait que le roi le menace et tentera par tous les moyens de le tuer. Le nain se rembrunit et pâlit. Il s'enfuit aussitôt vers le pays de Galles. Le roi cherche le nain sans relâche. Il ne peut le trouver ; il en est fort dépité.

Yseut entra dans sa chambre. Brangien[2] la vit toute pâle. Elle comprit qu'elle avait entendu une nouvelle qui avait bouleversé son cœur, pour qu'elle change de couleur et pâlisse de la sorte (...).

Yseut lui répondit : « Chère gouvernante, j'ai des raisons d'être pensive et triste. Brangien, je ne veux pas vous mentir. Je ne sais qui a voulu nous trahir aujourd'hui mais le roi Marc se trouvait dans l'arbre près du perron de marbre. J'ai vu son ombre dans la fontaine. Dieu fit en sorte que je parle la première. Il n'y eut pas un mot de prononcé sur ce que j'étais venue chercher là, je vous le garantis, mais seulement de spectaculaires plaintes et de non moins spectaculaires gémissements. J'ai blâmé Tristan de m'avoir fait venir tandis que lui me priait de le réconcilier avec son seigneur qui se méprenait sur ses sentiments à mon égard. Je lui ai dit que sa requête était une vraie folie, que je ne lui accorderai plus d'entretien et que je ne parlerai pas au roi. Je ne sais plus ce que j'ai ajouté. Il y eut bien des lamentations. Jamais le roi n'a

---

1. Le manuscrit donne *Orient* au lieu d'*Orion* mais, comme il s'agit d'une conjonction astrologique, il est préférable de retenir la leçon *Orion*. Sur la signification de cette « conjonction », voir notre article paru dans *Senefiance*, 13, 1983, p. 437-449.   **2.** Brangien est la servante d'Yseut autant que sa confidente.

pu découvrir ni soupçonner le fond de mes pensées. Je
me suis tirée d'embarras. »

Quand Brangien l'entendit, elle s'en réjouit fort :

« Yseut, ma dame, Dieu qui ne trompa jamais personne
nous a accordé une grande grâce, quand il vous a permis
de conclure cet entretien, sans plus, et sans que le roi ait
rien vu qui puisse être pris en mauvaise part. Dieu a fait
pour vous un grand miracle. C'est un vrai père qui prend
soin de ne jamais faire de mal à ceux qui sont bons et
loyaux. »

De son côté, Tristan avait raconté en détail à son maître
comment il s'était comporté. Quand celui-ci l'eut
entendu, il remercia Dieu que Tristan n'en eût pas fait
davantage avec Yseut.

Le roi ne trouve pas son nain. Dieu, ce sera bien
fâcheux pour Tristan ! Le roi retourne dans sa chambre.
Yseut qui en a peur le voit arriver :

« Sire, pour Dieu, d'où venez-vous ? De quoi avez-
vous besoin, pour vous déplacer ainsi tout seul ?

— Reine, c'est à vous que je viens parler et demander
quelque chose. Ne me cachez pas la vérité car je veux la
connaître !

— Sire, jamais de ma vie je ne vous ai menti. Même
s'il me fallait mourir à l'instant, je dirais toute la vérité.
Je ne vous mentirai pas d'un mot.

— Madame, avez-vous revu mon neveu ?

— Sire, je vais vous dévoiler la vérité. Vous n'allez
pas croire en ma franchise, mais je parlerai sans trompe-
rie. Je l'ai vu et je lui ai parlé. Je me suis trouvée avec
votre neveu sous ce pin. Maintenant, tuez-moi, si vous le
voulez, sire. Oui, c'est vrai, je l'ai vu. C'est très grave,
car vous pensez que j'aime Tristan comme une débauchée
et une madrée et cette idée me cause une telle souffrance
que peu m'importe si vous me faites faire le grand saut[1].

---

1. Périphrase pour désigner la mort.

Sire, pitié pour cette fois ! Je vous ai dit la vérité. Pourtant, vous ne me croyez pas, mais vous ajoutez foi à des mensonges sans fondement. Ma bonne foi me sauvera. Tristan, votre neveu, vint sous le pin qui se trouve là-bas dans le jardin. Il m'invita à venir le trouver. Il ne me présenta pas de sollicitations mais moi, je devais lui refuser certains égards. C'est grâce à lui que je suis reine en étant votre épouse. Assurément, sans les perfides qui vous disent ce qui jamais ne sera, je lui aurais réservé bon accueil. Sire, je vous considère comme mon époux et il est votre neveu, à ce qu'on m'a dit. C'est pour vous que je l'ai tant aimé. Mais les félons, les médisants qui cherchent à l'éloigner de la cour, vous font croire à des mensonges. Tristan s'en va. Que Dieu les accable de honte ! J'ai parlé à votre neveu hier soir. Il se lamente comme un homme tourmenté, sire, pour que je le réconcilie avec vous. Je lui ai dit de s'en aller et de ne plus jamais me fixer de rendez-vous car je ne viendrais plus le voir. Je lui ai dit aussi que je ne vous parlerais pas de lui. Sire, sans mentir, il n'y eut rien de plus. Si vous le voulez, tuez-moi, mais ce sera injuste. Tristan s'en va à cause de ce désaccord. Je sais qu'il part outre-mer. Il m'a demandé d'acquitter son séjour mais je n'ai voulu l'acquitter de rien du tout ni m'attarder à lui parler. Sire, je vous ai dit l'entière vérité. Si je vous mens, faites-moi décapiter. Vous le savez bien, sire, sans hésiter, j'aurais bien volontiers payé ses dettes si j'avais osé. Mais je n'ai pas même glissé dans sa bourse quatre besants entiers à cause de votre entourage perfide. Pauvre, il s'en va, que Dieu le guide ! C'est à grand tort que vous le poussez à fuir. Il n'ira jamais dans ce pays, là-bas, si Dieu n'est pas pour lui un ami véritable. »

Le roi savait bien qu'elle disait la vérité, il avait entendu tous leurs propos. Il la prend dans ses bras et la couvre de baisers. Elle pleure ; il l'implore de se taire.

Jamais plus il ne les suspectera désormais, en dépit des médisants. Qu'ils aillent et viennent selon leur bon plaisir ! Les biens de Tristan seront désormais les siens et ses biens appartiendront à Tristan. Plus jamais il ne croira les Cornouaillais. Et le roi raconte à la reine comment le vilain nain Frocin avait dénoncé le rendez-vous et comment il l'avait fait monter en haut du pin pour assister à leur rencontre nocturne.

« Sire, vous étiez donc dans le pin ?

— Oui, ma dame, par saint Martin. Pas un mot ne fut prononcé, à voix haute ou basse, sans que je le perçoive. Quand j'entendis Tristan évoquer la bataille que je lui ai fait livrer, j'eus pitié de lui et je faillis tomber de l'arbre. Et quand je vous entendis rappeler les souffrances qu'il lui fallut supporter en mer à cause des blessures du dragon [1] dont vous l'avez guéri, quand vous avez rappelé les bienfaits que vous lui avez prodigués et quand il vous demanda d'acquitter ses gages [2], j'eus bien de la peine. Vous n'avez pas voulu acquitter ses dettes et vous ne vous êtes pas approchés l'un de l'autre ! Je fus pris de pitié en haut de mon arbre. J'en souris doucement et n'en fis pas davantage.

— Sire, cela m'est bien agréable. Vous savez de façon certaine que nous avions toute liberté : s'il m'avait voué un amour coupable, vous vous en seriez aperçu. Mais, par ma foi, à aucun moment vous ne l'avez vu s'approcher de moi, ni faire un geste coupable, ni me donner un baiser. C'est donc tout à fait certain : il ne me porte pas un

---

1. Ce dragon qui dévastait l'Irlande fut tué par Tristan. Le héros obtint Yseut en récompense de son exploit. 2. Tristan a été chassé de la cour. Il n'habite donc plus dans le palais du roi Marc et il est obligé de payer un loyer à son hôte. Comme il n'a pas d'argent, il a été contraint de déposer tout son équipement militaire en gage, pour couvrir les frais de son hébergement. Il faut rappeler que Tristan ne possède pas de fief.

amour indigne. Sire, si vous ne nous aviez pas vus, vous ne nous auriez pas crus.

— Mon Dieu, non ! fait le roi. Brangien, que Dieu te bénisse, va chercher mon neveu chez lui et s'il te dit quoi que ce soit ou s'il ne veut pas venir à cause de toi, dis-lui que c'est moi qui lui ordonne de venir.

— Sire, il me hait, lui dit Brangien, et c'est un grand tort, Dieu le sait. Il dit que je suis la cause de sa brouille avec vous et il s'acharne à vouloir ma perte. Pourtant, j'irai. À cause de vous, il n'osera pas me toucher. Sire, au nom du ciel, réconciliez-moi avec lui quand il sera ici. »

Écoutez ce que dit la maline ! Elle se comporte en parfaite coquine. Elle savait pertinemment qu'elle racontait des histoires quand elle se plaignait de la colère de Tristan.

« Sire, je vais le chercher, dit Brangien. Réconciliez-moi avec lui, ce sera une bonne action. »

Le roi répond :

« Je m'y efforcerai. Vas-y donc tout de suite et amène-le ici. »

Yseut sourit et le roi de même. Brangien gagne la sortie d'un pas léger. Tristan, contre le mur, les a entendues parler au roi. Il saisit Brangien par le bras, l'étreint et remercie Dieu (...) d'être avec Yseut tant qu'il le souhaitera. Brangien s'adresse à Tristan :

« Seigneur, dans cette pièce, le roi a beaucoup parlé de vous et de votre bien-aimée. Il vous pardonne d'avoir provoqué sa colère et déteste désormais ceux qui vous causent ces ennuis. Il m'a demandé de venir vous trouver. Je lui ai dit que vous étiez en colère contre moi. Faites semblant de vous faire prier et de ne venir qu'à contre-cœur. »

Tristan l'étreint et lui donne un baiser. Il est heureux de vivre à nouveau comme il l'entend. Ils se rendent dans

la chambre peinte où se trouvent le roi et Yseut. Tristan
y entre.

« Approche, neveu, dit le roi. Apaise ta colère envers
Brangien et je te pardonnerai la mienne.

— Oncle, seigneur bien-aimé, écoutez-moi maintenant ! Vous vous excusez bien légèrement, après avoir
porté sur moi des accusations qui me déchirent le cœur.
Un tel outrage ! Une telle félonie ! Pour moi, ce serait la
damnation et pour elle la honte ! Jamais nous n'avons
pensé à mal, Dieu le sait. Maintenant vous savez qu'il
vous hait celui qui vous a fait croire ces extravagances.
Dorénavant, soyez plus circonspect ! Ne vous emportez
plus ni contre la reine ni contre moi qui suis de votre
sang !

— Ce n'est pas mon intention, cher neveu, par ma
foi. »

Tristan se réconcilie avec le roi. Le roi lui autorise
l'accès de sa chambre : comme il est heureux ! Tristan va
et vient dans la chambre et le roi n'y fait plus attention.

Ah, Dieu ! qui peut aimer un an ou deux sans se trahir ?
Car l'amour ne peut pas se dissimuler. Souvent, l'un fait
des signes à l'autre. Souvent, ils ont des entrevues, en
cachette ou devant des témoins. Nulle part, ils ne peuvent
être tranquilles ; il leur faut prendre maints rendez-vous.

Il y avait à la cour trois barons ; il n'en existait pas de
plus félons. Ils avaient juré, au cas où le roi ne voudrait
pas chasser son neveu du royaume, de ne plus tolérer la
situation, de regagner leurs châteaux et de déclarer la
guerre au roi Marc. Car, dans un jardin, sous une ramure,
ils avaient vu l'autre jour la noble Yseut et Tristan dans
une situation que nul ne peut tolérer. Plusieurs fois, ils
les avaient aperçus totalement nus dans le lit du roi Marc.
Parce que, lorsque le roi partait dans la forêt et que Tristan disait : « Sire, je m'en vais, moi aussi », Tristan ne

partait pas, entrait dans la chambre et ils restaient long-temps ensemble.

« Nous le lui dirons nous-mêmes ; allons trouver le roi et disons-lui : qu'il nous aime ou qu'il nous déteste, nous voulons qu'il chasse son neveu. »

Tous ensemble, ils prirent cette décision. Ils s'adressèrent au roi Marc en le prenant à part :

« Sire, font-ils, cela va mal. Yseut et ton neveu s'aiment. N'importe qui peut le constater. Nous ne pouvons supporter davantage une telle situation. »

Le roi a compris, il pousse un soupir, baisse la tête. Il ne sait que dire, il marche de long en large.

« Sire, disent les trois félons, par notre foi, nous n'en tolérons pas plus car nous savons que tu consens à ce crime et que tu connais ce scandale. Que vas-tu faire ? Réfléchis ! Si tu n'éloignes pas ton neveu de la cour en lui interdisant de revenir, c'en sera fini à jamais de notre loyauté et nous te ferons sans cesse la guerre. Nous demanderons à nos voisins de quitter ta cour car nous ne pouvons plus supporter la situation. À toi de jouer ! Fais-nous connaître ta décision !

— Seigneurs, vous êtes mes féaux. Par Dieu, je suis fort étonné de voir que mon neveu cherche à me déshonorer. Il m'a servi de bien étrange manière. Conseillez-moi, je vous le demande ! Vous devez me donner des conseils avisés car je ne veux pas perdre vos services. Vous le savez bien, je ne suis pas fier.

— Sire, faites venir le nain qui connaît l'avenir ! Assurément, il connaît beaucoup de sciences ; c'est lui qu'il faut consulter. Convoquez le nain et on avisera. »

Le nain accourt aussitôt. Maudit soit ce bossu ! Un des barons lui donne l'accolade et le roi expose l'affaire.

Ah ! écoutez la traîtrise et la perfidie que ce nain Frocin suggère au roi. Maudits soient tous ces devins ! Que Dieu maudisse celui qui imagina une félonie comparable à celle de ce nain !

« Dites à votre neveu de se rendre demain matin chez le roi Arthur dans la ville fortifiée de Carduel. Qu'il porte à Arthur au grand galop un message écrit sur un parchemin, bien scellé et fermé à la cire. Sire, Tristan dort devant votre lit. Tout à l'heure, pendant la nuit, je sais, par Dieu, qu'il voudra parler à Yseut parce qu'il devra partir loin. Sortez alors, sire, de votre chambre au début de la nuit. Je le jure par Dieu et par la loi de Rome, si Tristan éprouve un amour fou, il viendra parler à Yseut et s'il se rend auprès d'elle sans que je le sache et sans que vous le voyiez, alors tuez-moi et que tous vos hommes fassent de même. Tristan et Yseut seront reconnus coupables sans qu'il soit besoin de déférer le serment aux témoins[1]. Sire, laissez-moi à présent organiser la chose et y pourvoir à ma guise. Attendez seulement le soir pour l'envoyer là-bas.

— Ami, ce sera fait », répondit le roi.

Ils se séparent et chacun s'en va de son côté. Le nain était plein d'astuce ; il conçut un infâme piège. Il entra chez un boulanger et lui acheta de la fleur de farine[2] pour quatre deniers ; il attacha le sac à sa ceinture. Qui aurait imaginé un pareil piège ? Le soir, après le repas du roi, ils se couchèrent dans la salle. Tristan accompagna le roi dans sa chambre.

« Cher neveu, dit Marc, j'ai besoin de vos services. Je veux que vous exécutiez mes ordres. Il faut vous rendre à cheval chez le roi Arthur à Carduel. Faites-lui tenir cette lettre. Neveu, saluez-le de ma part et ne restez qu'un jour chez lui. »

Tristan entend le roi lui parler du message et répond qu'il ira lui porter :

---

1. Si Tristan et Yseut sont pris en flagrant délit, il ne sera pas nécessaire de faire appel à des témoins de leur délit pour les condamner.
2. Il s'agit de farine très fine et très blanche.

« Sire, je partirai de bon matin.

— Oui, avant la fin de la nuit. »

Tristan est fort troublé. Entre son lit et celui du roi, il y avait bien la longueur d'une lance. Tristan a soudain une idée téméraire ; il se dit en lui-même qu'il irait parler à la reine, s'il le pouvait, quand son oncle serait endormi. Dieu ! quelle erreur ! Il est trop hardi ! Le nain se trouvait durant la nuit dans la chambre du roi. Écoutez comment il agit cette nuit-là. Il répand la farine entre les deux lits, de telle manière qu'apparaissent les traces de pas si l'un d'eux rejoint l'autre au cours de la nuit. La farine gardera l'empreinte des pieds. Tristan vit le nain s'affairer et répandre la farine. Il se demanda ce que cela signifiait, car d'habitude le nain n'agissait pas ainsi. Puis il se dit :

« Il répand probablement de la farine à cet endroit pour voir notre trace si l'un de nous va trouver l'autre. Bien fou celui qui irait maintenant ! Il verra bien si j'irai ! »

La veille, Tristan, dans la forêt, avait été blessé à la jambe par un grand sanglier ; il souffrait énormément. La plaie avait beaucoup saigné. Par malheur, elle n'était pas bandée. Tristan ne dormait pas, à ce qui semblait. Le roi se leva à minuit et sortit de la chambre. Le nain bossu l'accompagnait. Dans la chambre, il n'y avait pas la moindre clarté, ni cierge, ni lampe allumée. Tristan se mit debout sur le lit. Dieu ! Pourquoi fait-il cela ? Mais écoutez ! Il joint les pieds, estime la distance et saute. Il retombe sur le lit du roi. Sa plaie s'ouvre et saigne abondamment. Le sang qui en jaillit rougit les draps. La plaie saigne mais il ne la sent pas car il est tout à la joie de son amour. En plusieurs endroits, le sang s'agglutine. Le nain est dehors. À la lune [1], il vit bien que les deux amants étaient enlacés. Il en frémit de joie et dit au roi :

---

1. Le nain comprend, au seul aspect de la lune, la situation des amants dans la chambre du roi. Il ne voit pas directement dans la chambre car il fait nuit.

« Va et si tu ne peux pas les surprendre ensemble, fais-moi pendre ! »

Les trois félons par qui ce piège avait été prémédité en secret étaient également présents. Le roi arrive. Tristan l'entend et se lève, tout effrayé. Aussitôt, il regagne son lit d'un bond. Dans le mouvement que Tristan fait, le sang coule — quel malheur ! — de la plaie sur la farine. Ah, Dieu ! quel dommage que la reine n'ait pas enlevé les draps du lit ! Aucun d'eux cette nuit-là n'aurait été reconnu coupable. Si Yseut s'en était avisée, elle aurait aisément pu préserver son honneur. Mais Dieu à qui il plut de les protéger commit par la suite un grand miracle.

Le roi revient dans sa chambre ; le nain l'accompagne en tenant la chandelle. Tristan faisait semblant de dormir car il ronflait bruyamment du nez. Il n'y avait personne d'autre dans la chambre sauf Périnis [1] immobile et couché à ses pieds et la reine allongée dans son lit. Sur la farine, apparut le sang, tout chaud. Le roi aperçut le sang sur le lit. Les draps blancs étaient tout vermeils et, sur la fleur de farine, on distinguait la trace du saut.

Le roi menace Tristan.

Les trois barons sont dans la chambre. Furieux, ils saisissent Tristan dans son lit — ils l'avaient pris en haine à cause de sa vaillance — ainsi que la reine. Ils insultent celle-ci et la menacent violemment. Ils n'auront pas de cesse tant que justice ne sera pas rendue. Ils aperçoivent la jambe qui saigne :

« Voici un indice irréfutable : votre culpabilité est prouvée, dit le roi. Votre tentative de justification n'aura aucun poids. Oui, Tristan, demain votre mort est certaine, vous pouvez en être sûr !

— Grâce, sire ! lui répond celui-ci. Pour Dieu qui souffrit sa passion, ayez pitié de nous, sire ! »

---

1. Ce page d'Yseut est évidemment complice des amants.

Les félons disent : « Sire, maintenant vengez-vous !

— Cher oncle, peu importe mon sort. Je sais bien que pour moi l'heure du grand saut est arrivée. N'était la crainte de vous courroucer, je ferais payer cher le procès qu'on est en train de me faire. Même si leur inaction avait dû leur coûter leurs propres yeux, ils n'auraient pas voulu mettre leurs mains sur moi. Mais je n'ai rien contre vous. Que cela tourne bien ou mal pour moi, vous ferez ce que vous voudrez de ma personne et je me soumettrai à votre volonté. Mais, sire, pour l'amour de Dieu, ayez pitié de la reine ! (Tristan se prosterne.) Car aucun homme de votre entourage n'aurait osé soutenir cette perfidie selon laquelle je serais par folie l'amant de la reine ; il m'aurait aussitôt trouvé en armes sur le champ clos. Pitié pour elle, sire, au nom de Dieu ! »

Les trois qui se trouvent dans la chambre s'emparent de Tristan et lui lient les mains ; ils ligotent aussi la reine. Leur haine est à son comble. Si Tristan avait su qu'on ne lui permettrait pas de se justifier en justice, il se serait laissé plutôt dépecer vif et n'aurait pas supporté qu'on les lie, elle et lui. Mais il avait une telle foi en Dieu qu'il était sûr et certain que s'il obtenait le duel judiciaire, personne n'oserait prendre ni brandir les armes contre lui. Il espérait bien pouvoir se défendre sur le champ clos. C'est pour cette raison qu'il ne voulait pas se discréditer devant le roi par une violence inconsidérée. Toutefois, s'il avait su ce qu'il en était et ce qui les attendait, il aurait tué les trois félons. Le roi n'aurait pas pu les protéger. Ah, Dieu ! pourquoi ne les a-t-il pas tués ? L'affaire aurait pris une meilleure tournure.

La rumeur se répand dans la cité qu'on a surpris ensemble Tristan et la reine Yseut et que le roi veut leur perte. Petits et grands s'affligent. Ils ne cessent de se dire l'un à l'autre :

« Hélas ! Nous avons bien des raisons de pleurer ! Ah,

Tristan, tu es si vaillant ! Quel malheur que ces canailles vous aient fait prendre en traître ! Ah, reine noble et honorée, en quel pays naîtra une fille de roi de ta valeur ? Ah, nain ! voilà l'œuvre de ta science ! Qu'il ne contemple jamais la face de Dieu celui qui rencontrera le nain et ne le transpercera pas de sa lance ! Ah, Tristan, qu'elle sera grande notre douleur, ami cher et précieux, quand on vous infligera le supplice ! Hélas, quel deuil à votre mort ! Quand le Morholt débarqua ici pour nous prendre nos enfants, il a sur-le-champ réduit au silence nos barons et nul ne fut assez hardi pour oser prendre les armes contre lui. C'est vous qui avez accepté le combat pour nous, le peuple de Cornouailles, et vous avez tué le Morholt. Il vous blessa d'un coup de javelot, sire, qui faillit vous être fatal. Nous ne devrions jamais accepter votre supplice ! »

Le tumulte et la rumeur augmentent. Tous accourent directement au palais. Le roi était impitoyable et entêté. Aucun baron influent et courageux n'ose lui suggérer de pardonner ce crime.

Le jour paraît et la nuit s'en va. Le roi ordonne qu'on cherche des épines et qu'on creuse une fosse dans le sol. D'un ton impérieux, le roi fait sur-le-champ chercher partout des sarments. Il les fait entasser avec des épines noires et blanches et leurs racines. Il était bien l'heure de prime [1].

Les crieurs publics proclamèrent dans tout le pays que le peuple devait se rendre à la cour. Chacun accourt le plus vite possible. Les Cornouaillais sont rassemblés. Il y a beaucoup de bruit et de tumulte. Tout le monde se lamente, sauf le nain de Tintagel.

Le roi leur dit et leur explique qu'il veut faire brûler sur un bûcher son neveu et sa femme. Tous les sujets de son royaume s'écrient :

---

1. Première heure du jour (environ six heures du matin).

« Sire, vous commettriez une horrible faute s'ils n'étaient jugés au préalable. Exécutez-les ensuite, sire, par pitié ! »

Furieux, le roi répondit :

« Par le Seigneur qui créa le monde et tout ce qu'il contient, dussé-je perdre mon patrimoine, je ne renoncerais pas à le faire brûler vif, dût-on me demander des comptes un jour. Laissez-moi tranquille ! »

Il donne l'ordre d'allumer le feu et d'amener son neveu. Il veut que celui-ci brûle le premier dans les flammes. On va le chercher ; le roi l'attend. Ils l'amènent en le tirant par les mains. Dieu, quel indigne comportement de leur part ! Tristan pleure beaucoup mais cela ne sert à rien. Ils le traînent dehors, dans la honte. Yseut pleure, presque folle de désespoir.

« Tristan, fait-elle, quel malheur de vous voir si honteusement attaché. Si l'on me tuait pour vous accorder en échange la vie sauve, ce serait une grande joie, bel ami, et il y aurait à l'avenir une vengeance. »

Écoutez, seigneurs, combien la pitié de Dieu est grande ! Il ne désire pas la mort du pécheur. Il a entendu les cris et les pleurs des pauvres gens pour les amants dans la détresse.

Sur le chemin que suivent Tristan et son escorte, se trouve une chapelle nichée sur une hauteur, au bord d'un rocher. Exposée au vent du nord, elle surplombe la mer. La partie que l'on appelle le chœur était bâtie sur une élévation. Au-delà il n'y avait que la falaise. Le mont n'était qu'un amas de pierres dénué de végétation. Si un écureuil sautait de là, il se tuerait ; il n'en réchapperait pas. Dans l'abside se trouvait un vitrail aux teintes pourpres qui était l'œuvre d'un saint.

Tristan interpelle ses gardes :

« Seigneurs, voici une chapelle. Pour Dieu, laissez-moi donc y entrer ! Je touche au terme de ma vie. Je prierai

Dieu d'avoir pitié de moi, car je l'ai beaucoup offensé. Seigneurs, il n'y a qu'une entrée. Je vois chacun de vous tenir une épée. Vous savez bien que je ne peux trouver d'autre sortie. Il me faudra passer à nouveau devant vous. Quand j'aurai prié Dieu, je reviendrai vers vous. »

Alors, l'un d'eux dit à son compagnon :

« Nous pouvons bien le laisser aller. »

Ils lui enlèvent ses liens et Tristan entre dans la chapelle. Il ne perd pas de temps. Il se dirige derrière l'autel vers la verrière, la tire à lui de la main droite et s'élance par l'ouverture. Il préfère sauter dans le vide plutôt que d'être brûlé en public. Seigneurs, il y avait une grande et large pierre à mi-hauteur du rocher. Tristan y saute avec légèreté. En s'engouffrant dans ses vêtements, le vent lui évite de tomber comme une masse. Les Cornouaillais appellent encore cette pierre le *Saut de Tristan*.

La chapelle était remplie de monde. Tristan saute ; le sable était meuble. Tout le monde est agenouillé dans l'église. Les gardes l'attendent à l'extérieur mais en vain. Tristan s'enfuit. Dieu a eu pitié de lui ! Il se sauve à grandes enjambées le long du rivage. Il entend nettement crépiter le feu du bûcher. Il n'a nulle envie de retourner sur ses pas. Il ne peut pas courir plus vite qu'il ne le fait.

Mais écoutez ce que fit Gouvernal ! L'épée au côté, il quitte la cité à cheval. Il sait bien que s'il est rattrapé, le roi le brûlera à la place de son seigneur. Il fuit, en proie à la peur. Le bon maître rend un fier service à Tristan en n'abandonnant pas son épée, en allant la chercher là où elle se trouve et en l'emportant avec la sienne.

Tristan aperçoit son maître ; il l'appelle parce qu'il l'a bien reconnu. Gouvernal le rejoint, tout joyeux. À sa vue, Tristan laisse éclater sa joie :

« Maître, Dieu vient de m'accorder sa grâce. Je me suis échappé et me voici. Hélas ! malheureux que je suis, que m'importe mon sort ! Si je n'ai pas Yseut, pauvre de moi ! À quoi bon le saut que je viens de faire ? Pourquoi ne me suis-je pas tué ? Ce saut aurait pu m'être fatal ! Je me suis échappé mais vous, Yseut, on vous brûle vive ! Vraiment, je me suis évadé pour rien. On la brûle pour moi, pour elle je mourrai. »

Gouvernal répondit :

« Pour Dieu, sire, rassurez-vous, ne désespérez pas. Voici un épais bosquet entouré d'un fossé. Sire, cachons-nous là ! Beaucoup de gens passent par ici et vous aurez bientôt des nouvelles d'Yseut. Si on la brûle vive, vous ne monterez plus jamais en selle avant de l'avoir vengée sans délai. Vous serez très bien aidé. Par Jésus, le fils de Marie, je ne coucherai plus sous un toit tant que les trois félons qui ont voulu la perte d'Yseut, votre amie, n'auront pas trouvé la mort. Si vous étiez tué, cher seigneur, avant d'avoir obtenu votre vengeance, jamais plus de ma vie je ne serais heureux. »

Tristan répond :

« Je vais grandement vous décevoir, mon maître, mais je n'ai pas d'épée.

— Mais si, je l'ai apportée !

— Alors, maître, dit Tristan, tout va bien. À présent, je ne crains plus personne sinon Dieu.

— J'ai également sous ma gonnelle [1] un objet qui vous sera très utile : un haubert [2] solide mais léger qui pourra vous rendre service.

— Dieu, dit Tristan, donnez-le-moi. Par le Dieu en qui je crois, si j'arrive à temps au bûcher avant qu'on y jette mon amie, je préférerais être coupé en morceaux plutôt que de ne pas tuer ceux qui la retiennent prisonnière. »

Gouvernal lui dit :

« Ne vous précipitez pas ! Dieu pourra vous donner

---

1. Sorte de cape sans manches et surmontée d'un capuchon.
2. Longue cotte (ou chemise) de mailles (en métal) descendant jusqu'au genou.

une meilleure occasion de vous venger. Vous n'aurez pas alors les difficultés que vous rencontreriez maintenant. Je ne vois pas ce que vous pouvez faire à présent car le roi vous en veut. À sa disposition, il a tous les bourgeois et tous les habitants de la ville. Il leur a fait jurer sur leurs propres yeux que le premier qui aurait l'occasion de vous capturer devrait aussitôt le faire, sous peine d'être pendu. Chacun s'aime mieux qu'il ne vous aime, vous. Si l'on vous enfermait en prison, tel qui voudrait bien vous libérer n'oserait même pas y penser. »

Tristan pleure et se lamente. Jamais, pour tous ceux de Tintagel, même si on avait dû le dépecer jusqu'à le réduire en de multiples lambeaux, jamais il n'aurait renoncé à y aller si son maître ne le lui avait interdit. Un messager accourt dans la chambre et dit à Yseut de ne pas pleurer parce que son ami s'est échappé.

« Dieu soit loué ! dit-elle. Peu m'importe à présent s'ils me tuent, me ligotent ou me libèrent. »

Sur l'injonction des trois barons, le roi lui avait fait lier les poignets si étroitement qu'elle avait les mains en sang.

« Par Dieu, fait-elle, si je me lamentais alors que les félons médisants qui avaient la garde de mon ami l'ont laissé s'échapper, Dieu merci ! on ne devrait plus me prendre au sérieux. Je suis certaine que le nain médisant et les félons pleins de jalousie qui voulaient ma mort auront un jour ce qu'ils méritent. Puissent-ils courir à leur perte ! »

Seigneurs, le roi apprend que son neveu qu'il avait condamné au bûcher s'est échappé par la chapelle. Il en devient noir de colère. Il ne se contient plus tant son dépit est grand. Furieux, il demande qu'on amène Yseut. Yseut sort de la salle.

La clameur augmente dans la rue. En voyant la reine attachée — affreux spectacle en vérité ! —, tout le monde est bouleversé. Il fallait entendre les lamentations pour Yseut et les invocations à la miséricorde divine !

« Ah, reine noble et honorée, disait la foule, dans quelle douleur ont plongé le pays ceux qui ont provoqué ce scandale ! Assurément, ils n'auront pas besoin d'une grande bourse pour y placer leur gain. Puissent-ils attraper une affreuse maladie ! »

On amène la reine devant le bûcher d'épines ardentes. Dinas, le seigneur de Dinan[1] qui avait beaucoup d'amitié pour Tristan, se jette aux pieds du roi :

« Sire, fait-il, écoutez-moi. Je suis resté longtemps, honnêtement et loyalement, à votre service. Pas une personne dans ce royaume, pauvre orphelin ou vieille femme, pour la sénéchaussée à laquelle j'ai consacré ma vie, ne me donnerait une seule maille beauvaisine[2]. Sire, pitié pour la reine ! Vous voulez la jeter aux flammes sans jugement. Ce n'est pas juste car elle ne reconnaît pas sa faute. L'affliction régnera, si vous la brûlez. Sire, Tristan s'est échappé. Il connaît à merveille les plaines, les bois, les chemins et les gués et il est redoutable. Vous êtes son oncle et il est votre neveu. Il ne s'attaquerait pas à vous mais si vos barons tombaient entre ses mains et s'il les maltraitait, ce serait votre royaume qui en pâtirait. Sire, vraiment, je ne le nie pas, quiconque tuerait ou brûlerait à cause de moi un seul de mes écuyers, devrait, même s'il régnait sur sept pays, mettre toutes ses terres dans la balance avant que je renonce à en tirer vengeance.

---

1. Confusion intéressante entre la ville de Dinan (en Bretagne) et celle de Lidan que d'autres romanciers signalent comme le domaine de Dinas. Il existe un Lidan au pays de Galles. En gallois, *Dinas Lidan* signifie « grande forteresse ». 2. Le métier de sénéchal est peu lucratif ! La *maille* (ici, de Beauvais) vaut la moitié d'un denier ; c'est aussi la vingt-quatrième partie du sou. Premier officier royal, le sénéchal est le responsable de la justice et de l'administration des domaines du roi. Il remplace le roi et commande l'armée en l'absence du souverain.

Alors pensez-vous qu'il supportera de voir mettre à mort une si noble femme qu'il est allé chercher dans un pays lointain ? Une grande discorde risque de s'ensuivre. Sire, rendez-la-moi en récompense des mérites que m'ont valu toute une vie à votre service. »

Les trois barons qui ont machiné cette affaire restent muets et sourds parce qu'ils savent bien que Tristan est en route. Ils ont peur d'être guettés. Le roi prit Dinas par la main et, dans sa colère, il jura par saint Thomas de ne pas renoncer à faire justice et à la livrer aux flammes.

Dinas entend ces propos ; il en est bouleversé. Cela lui fait de la peine. En ce qui le concerne, jamais il ne consentirait à la mort de la reine. Il se lève, la tête baissée :

« Roi, je m'en vais jusqu'à Dinan. Par le Seigneur qui créa Adam, je ne supporterai pas de la voir brûler, pour tout l'or et toute la fortune que possédèrent les plus riches personnages depuis la glorieuse époque romaine. »

Il monte sur son destrier et s'en retourne, la tête baissée, triste et morne. Yseut fut conduite au bûcher. Elle était entourée de gens qui criaient, hurlaient et qui maudissaient les traîtres conseillers du roi. Les larmes ruisselaient sur son visage. La dame portait un bliaut[1] étroit de brocart gris brodé de fils d'or très fins. Ses cheveux tombaient jusqu'à ses pieds et ils étaient tressés d'un mince fil d'or. Celui qui pourrait regarder son corps et son visage sans être ému de pitié aurait la méchanceté dans son cœur. Ses bras étaient étroitement liés.

Il y avait à Lantien[2] un lépreux appelé Yvain. Il était horriblement mutilé. Il était venu assister au jugement. Avec lui, il avait bien une centaine de compagnons munis de leurs béquilles et de leurs bâtons. Jamais on ne vit

---

1. Riche tunique de dessus en laine ou en soie, portée par les deux sexes.   2. Aujourd'hui Lantyan, village de Cornouailles, sur la rivière Fowey. Une des résidences du roi Marc.

autant de créatures laides, difformes et mutilées. Chacun
tenait sa crécelle [1] et criait au roi d'une voix sourde :

« Sire, vous voulez faire justice en brûlant de la sorte
votre épouse. C'est parfait mais, pour autant que je sache,
ce châtiment ne durera pas bien longtemps. À peine sera-
t-elle brûlée par ce grand feu que ses cendres seront dis-
persées par le vent. Le feu s'éteindra et le châtiment se
dissoudra dans la braise. Mais si vous voulez bien suivre
mon idée, vous lui infligerez un châtiment qui lui permettrait encore de vivre, mais cette fois dans l'infamie, au
point qu'elle préférerait la mort. Plus personne ensuite
n'entendra parler de cette condamnation sans vous tenir
en grande estime. Sire, voudriez-vous qu'il en soit ainsi ? »

Le roi l'écoute et répond :

« Si tu m'enseignes un moyen infaillible pour qu'elle
vive en étant déshonorée, je t'en saurai gré, sache-le bien,
et si tu le veux, puise dans ma fortune. Jamais encore n'a
été révélée la plus douloureuse et la plus cruelle manière
de punir. Mais si quelqu'un savait me l'exposer, pour
Dieu le roi, il aurait droit à mon amitié éternelle. »

Yvain répond :

« Sire, je vais vous dire brièvement ma pensée. Regardez, j'ai ici cent compagnons. Donnez-nous Yseut ! Elle
sera notre bien commun. Jamais une dame ne connut une
fin aussi horrible. Sire, nous brûlons d'une telle ardeur
qu'il n'y a pas une femme sous le ciel qui pourrait supporter, pas même un jour, de faire l'amour avec nous.
Nos habits nous collent à la peau. Avec vous, elle était

---

1. Attribut traditionnel du lépreux qui doit toujours signaler sa présence surtout lorsqu'il fréquente les personnes saines. Il n'est autorisé
à le faire qu'à certaines dates car il vit à l'écart dans des cabanes
appelées *bordes*.

accoutumée aux honneurs, au vair, au petit-gris[1] et à la gaieté. Elle avait appris à apprécier les bons vins et les grandes salles de marbre gris. Si vous nous la confiez à nous, lépreux, quand elle verra nos cabanes exiguës[2], quand elle verra nos gamelles et qu'elle devra coucher avec nous (sire, au lieu de vos beaux repas, elle aura les détritus et les morceaux que l'on nous jette devant les portes), par le Seigneur qui règne aux cieux, quand elle verra notre cour à nous, alors vous verrez son désespoir. Elle préférera la mort à la vie. Elle saura bien, Yseut la vipère, qu'elle a mal agi. Elle souhaitera être brûlée sur un bûcher. »

À ces mots, le roi reste debout et immobile pendant quelques instants. Il avait entendu les propos d'Yvain. Il se précipite vers Yseut et la saisit par la main. Elle s'écrie :

« Sire, pitié ! Plutôt que de me livrer à lui, brûlez-moi ici ! »

Le roi la donne à Yvain et celui-ci la prend. Il y avait bien cent lépreux qui se pressaient autour d'elle. Il fallait entendre les clameurs et les cris ! La pitié étreint tout le monde. Bien des gens s'affligent mais Yvain se réjouit.

Yseut s'en va. Yvain l'emmène tout droit par le chemin qui descend vers le rivage. La horde des autres lépreux (ils avaient tous leur béquille) se dirige directement vers l'endroit où Tristan s'est caché pour les attendre.

Gouvernal lui crie assez fort :

« Fils, que vas-tu faire ? Voici ton amie !

— Dieu, dit Tristan, quelle aventure ! Ah, Yseut, ma

---

1. Le *vair* désigne la fourrure d'une espèce d'écureuil au ventre blanc et au dos gris bleuté. Le *gris* ou *petit-gris* désigne la fourrure hivernale de l'écureuil.   2. L'ancien français *bordel* qui désigne ces cabanes exiguës annonce la maison de prostitution. Les lépreux passaient pour des êtres lubriques et la lèpre avait au Moyen Âge le statut d'une maladie vénérienne.

belle amie, puisque vous alliez mourir pour moi, j'aurais
dû moi aussi mourir pour vous. Ceux qui vous retiennent
entre leurs mains peuvent être assurés que, s'ils ne vous
relâchent pas immédiatement, il y en aura plus d'un qui
va souffrir. »

Il éperonne son destrier, bondit du bosquet et s'écrie
de toutes ses forces :

« Yvain, vous l'avez conduite assez loin, lâchez-la
immédiatement ou je vous fais voler la tête avec cette
épée. »

Yvain s'apprête à ôter sa cape et s'écrie d'une voix
forte : « À vos béquilles ! On verra bien à présent qui est
des nôtres ! »

Il fallait voir ces lépreux haleter, enlever leurs capes
et retirer leurs manteaux ! Chacun brandit sa béquille en
direction de Tristan. Les uns le menacent et les autres
l'injurient. Tristan n'ose ni toucher, ni assommer, ni mal-
mener un seul malade. Attiré par les cris, Gouvernal
arrive à son tour. Dans sa main, il tient une branche de
chêne vert et il en frappe Yvain qui tient Yseut. Le sang
jaillit et coule jusqu'à ses pieds. Tristan reçoit une aide
efficace de son maître qui saisit Yseut par la main droite.
Les conteurs [1] disent que les deux hommes firent noyer
Yvain mais ce sont des rustres ; ils ne connaissent pas
bien l'histoire. Béroul l'a parfaitement gardée en
mémoire. Tristan était bien trop preux et courtois pour
tuer des gens de cette espèce.

Tristan part avec la reine ; ils quittent la plaine et se
dirigent vers la forêt en compagnie de Gouvernal. Yseut
se réjouit ; elle ne souffre pas à présent. Ils sont dans

---

1. Allusion à une tradition orale antérieure à Béroul. Le romancier
veut présenter un personnage de Tristan conforme à l'idéal courtois de
la chevalerie.

la forêt du Morrois[1] et passent la nuit sur une hauteur.
Maintenant, Tristan est tout autant en sécurité que s'il se
trouvait dans un château entouré de murailles. Tristan
était un excellent archer et savait très bien tirer à l'arc.
Gouvernal avait volé l'arc d'un forestier et il le tenait en
main. Il avait également pris deux flèches bien empen-
nées aux pointes barbelées. Tristan prit l'arc et marcha
dans la forêt. Il vit un chevreuil, visa et tira.

Il l'atteignit violemment au flanc droit. L'animal crie,
bondit et s'effondre. Tristan le saisit et le ramène. Il
construit sa loge. Avec l'épée qu'il tient en main, il coupe
les branches. Il façonne un toit de feuillage. Yseut la
jonche d'un épais tapis de verdure. Tristan s'assied près
de la reine. Gouvernal s'y connaissait en cuisine ; il
allume un bon feu de bois sec. Les cuisiniers avaient fort
à faire ; ils n'avaient alors dans leur logis ni lait, ni sel.
La reine était fort lasse après la peur qu'elle avait éprou-
vée. Le sommeil la prend ; elle veut dormir ; elle veut
s'endormir contre son ami. Seigneurs, ils ont longtemps
vécu ainsi au fin fond de la forêt ! Ils séjournent longtemps dans ce désert.

Mais écoutez plutôt ce que le nain fit au roi. Il détenait
du roi un secret, qu'il était le seul à connaître. Une grande
imprudence l'amena à le divulguer. Il commit une bêtise
car cela lui valut ensuite d'être décapité par le roi. Un
jour, le nain était ivre et les barons lui demandèrent ce
que signifiaient les entretiens qu'il avait fréquemment
avec le roi.

« J'ai toujours gardé loyalement le secret qu'il m'a
confié. Je vois bien que vous voulez le connaître, mais je
ne veux pas trahir ma parole. Je vous mènerai tous les

---

1. Forêt située en Cornouailles qu'on identifie généralement avec le
manoir de *Moresc* ou *Saint-Clement's*, près de Truro.

trois devant le Gué Aventureux[1]. Il y a là une aubépine dont les racines surplombent un fossé. Je pourrai placer ma tête à l'intérieur et vous m'entendrez du dehors. Ce que je dirai concernera le secret pour lequel je suis lié par serment au roi. »

Les barons se rendent devant l'épine. Frocin les précède. Le nain était petit mais il avait une grosse tête. Ils ont vite fait d'élargir le trou et y enfoncent Frocin jusqu'aux épaules.

« Écoutez, seigneurs marquis ! Épine, c'est à vous que je m'adresse et non à eux ! Marc a des oreilles de cheval[2] ! »

Ils ont parfaitement entendu le nain. Un jour, après le dîner, Marc s'entretenait avec ses barons. Il tenait un arc d'aubour[3] dans la main. Les trois barons à qui le nain avait révélé le secret s'approchent du roi. Ils lui disent à voix basse :

« Sire, nous savons ce que vous cachez. »

Le roi en rit et dit :

« Cette maladie des oreilles de cheval, c'est à ce devin que je la dois[4]. Vraiment, il n'en a plus pour très longtemps à vivre. »

Il tire son épée, décapite le nabot. Beaucoup s'en réjouissent qui haïssaient le nain Frocin à cause de ses méchancetés envers Tristan et la reine.

Seigneurs[5], vous avez bien entendu comment Tristan a

---

1. Le gué est un endroit peu profond d'une rivière que l'on peut traverser à pied. Dans les légendes celtiques c'est un lieu traditionnel où se manifestent l'aventure et la féerie.   2. Ce conte « étymologique » exploite l'homonymie qui existe en gallois entre le nom propre Marc et le mot celtique *marc'h* signifiant « cheval ».   3. Arbre (cytise) avec lequel on fabriquait des arcs.   4. Le nain posséderait donc des pouvoirs magiques. Il est probablement fait allusion ici à un conte antérieur (non conservé) selon lequel Frocin aurait infligé une malédiction à Marc.   5. Interpellation des auditeurs de la légende, c'est-à-dire du public devant lequel Béroul lit son histoire.

sauté dans le vide du haut du rocher et comment Gouvernal qui connaissait bien la colline s'est enfui, de peur d'être brûlé si Marc le capturait. Maintenant, ils se retrouvent tous dans la forêt. Tristan les nourrit de gibier. Ils vivent longtemps dans ces bois. Ils quittent le lendemain matin l'endroit où ils se sont installés pour la nuit.

Un jour, ils arrivent par hasard à l'ermitage de frère Ogrin[1]. La vie qu'ils mènent est dure et pénible mais leur amour mutuel fait que, grâce à l'autre, aucun des deux ne souffre.

L'ermite reconnut Tristan. Appuyé sur sa canne, il lui dit : « Seigneur Tristan, toute la Cornouailles s'est engagée solennellement. Celui qui vous livrera au roi sans faute recevra cent marcs de récompense. Tous les barons de ce pays ont donc juré au roi, la main dans celle de Marc, de vous livrer à lui, mort ou vif. »

Ogrin ajoute avec bonté : « Par ma foi, Tristan, Dieu pardonne les péchés de celui qui se repent, à condition qu'il ait la foi et qu'il se confesse. »

Tristan lui dit : « Par ma foi, seigneur, elle m'aime en toute bonne foi[2] mais vous ne comprenez pas pourquoi. Si elle m'aime, c'est la potion[3] qui en est la cause. Je ne peux pas me séparer d'elle, ni elle de moi, je dois vous l'avouer. »

Ogrin lui dit : « Comment peut-on sauver un homme mort ? Il est bien mort celui qui persiste dans le péché[4] ;

---

1. Curieux nom pour un ermite. Il rappelle l'ogre qui, comme Ogrin, vit souvent dans des lieux retirés ou sauvages.   2. Ce dialogue est placé sous le signe du malentendu. Les mots *foi* et *péché* n'ont pas le même sens pour Ogrin et Tristan. Leurs connotations chrétiennes ne sont nullement perçues par Tristan. *Péché* en ancien français signifie aussi « erreur », sans référence à une transgression de la loi divine.   3. Il s'agit évidemment du philtre d'amour que Tristan et Yseut ont bu par accident et qui les a rendus amoureux fous l'un de l'autre.   4. Ces propos de l'ermite se réfèrent au commentaire biblique qui voit dans Lazare au tombeau (« le mort dans son sépulcre ») l'image de l'endurcissement dans le péché. Sur le repentir chez Béroul voir J.-C. Payen (*Le Motif du repentir dans la littérature française médiévale*, Genève, 1967, p. 331-364).

s'il ne se repent pas lui-même, personne ne peut faire remise à un pécheur de sa pénitence ; accomplis ta pénitence ! »

L'ermite Ogrin prolonge son sermon et leur conseille de se repentir. Il leur cite à plusieurs reprises le témoignage de l'Écriture. Avec insistance, il leur rappelle l'obligation de se séparer. Il dit à Tristan d'une voix émue : « Que vas-tu faire ? Réfléchis !

— Seigneur, j'aime Yseut éperdument au point d'en perdre le sommeil. Ma décision est irrévocable : j'aime mieux vivre comme un mendiant avec elle, me nourrir d'herbes et de glands, plutôt que de posséder le royaume d'Otran[1]. Ne me demandez pas de la quitter car, vraiment, c'est impossible. »

Aux pieds de l'ermite, Yseut éclate en sanglots. À plusieurs reprises, son visage change de couleur. Elle l'implore d'avoir pitié d'elle :

« Seigneur, par le Dieu tout-puissant, il ne m'aime et je ne l'aime qu'à cause d'un breuvage que j'ai bu et qu'il a bu. Voilà notre péché ! C'est pour cela que le roi nous a chassés. »

L'ermite lui répond aussitôt :

« À Dieu vat ! Que Dieu qui créa le monde vous accorde un repentir sincère ! »

Et sachez-le bien, car c'est vrai, cette nuit-là ils couchèrent chez l'ermite. Il oublia ses habitudes en leur faveur.

Au petit matin, Tristan s'en va. Il ne quitte pas le bois, évite les terrains découverts. Le pain leur manque, c'est très pénible. Il tue dans la forêt beaucoup de cerfs, de biches et de chevreuils. Là où ils s'installent, ils font leur cuisine et un grand feu. Ils ne restent qu'une nuit au même endroit.

---

1. Roi sarrasin de Nîmes d'après les chansons du cycle de Guillaume d'Orange. Il incarne la féerie de l'Orient.

Seigneurs, apprenez que le roi fait crier le ban[1] contre Tristan ! En Cornouailles, il n'y a pas une paroisse où la nouvelle ne sème l'angoisse. Quiconque trouvera Tristan devra donner l'alerte générale.

Si l'on veut entendre une aventure qui montre la grandeur de l'éducation, qu'on m'écoute un instant. Vous m'entendrez parler d'un brave braque[2]. Ni les comtes ni les rois ne possédèrent un chien de chasse pareil. Il était agile, sans cesse à l'affût car il était beau, vif et rapide. Il s'appelait Husdent[3]. Une laisse le retenait à un billot. Le chien guettait depuis le donjon, car il était fort inquiet de ne plus revoir son maître. Il ne voulait manger ni pain ni pâtée, ni rien de ce qu'on lui donnait. Il cillait des yeux, trépignait et pleurait. Mon Dieu, quelle pitié il suscitait autour de lui ! Chacun disait :

« S'il était à moi, je lui ôterais sa laisse car ce serait affreux s'il devenait enragé. Ah, Husdent, jamais on ne retrouvera un tel braque qui soit si vif et qui manifeste une telle douleur pour son maître ! Jamais animal ne montra une telle affection ! Salomon dit très justement que son ami, c'était son lévrier. Ton exemple nous le prouve : tu ne veux rien manger depuis que ton maître a été arrêté. Sire, faites donc ôter sa laisse ! »

Croyant que le chien devient enragé à cause de son maître, le roi répond :

« Vraiment, c'est un chien intelligent. Je ne crois pas que de nos jours, sur la terre de Cornouailles, il y ait un chevalier qui vaille Tristan. »

Trois barons cornouaillais s'adressent au roi :

« Sire, libérez Husdent et nous allons voir avec certitude qu'il souffre par sympathie pour son maître. À peine

---

1. Tristan est banni du royaume.   **2.** Chien de chasse particulièrement apprécié au Moyen Age.   **3.** Ce nom est peut-être à rapprocher du mot anglais *hound* désignant une espèce de chien de chasse.

détaché, s'il a la rage, il mordra une personne, une bête ou n'importe quoi et il aura la langue pendante. »

Le roi appelle un écuyer pour détacher Husdent. L'assistance se perche sur des bancs et des escabeaux, car elle redoute les premiers bonds du chien. Tous disaient :

« Husdent est enragé ! »

Mais ce n'était pas le cas. Aussitôt détaché, il court entre les rangs, comme s'il venait de se réveiller, et il ne s'attarde guère. Il sort de la salle par la porte et se rend au logis où, d'habitude, il trouvait Tristan. Le roi et toute sa suite l'ont vu faire et ils le suivent. Husdent aboie, grogne plusieurs fois et manifeste un grand chagrin. Il a trouvé la trace de son maître. De tous les pas accomplis par Tristan lorsqu'il fut pris et faillit être brûlé, il n'en est pas un que le braque ne refasse après lui. Chacun dit qu'il faut continuer à le suivre.

Husdent arrive dans la chambre où Tristan fut trahi et pris. Il repart, jappe et donne de la voix. Il se dirige vers la chapelle en aboyant.

La foule suit le chien. Depuis qu'on l'a détaché, il ne s'arrête pas un seul instant jusqu'à ce qu'il arrive à l'église sise sur le rocher. Le blanc Husdent[1], toujours aussi rapide, entre dans la chapelle par la porte, saute sur l'autel et ne voit pas son maître. Il ressort par la fenêtre et tombe en bas du rocher. Il se blesse à la patte, flaire le sol et aboie.

À l'orée fleurie du taillis où Tristan s'était caché, Husdent s'arrête un instant. Il repart et s'enfonce dans la forêt. Nul ne le voit sans le prendre en pitié. Les chevaliers disent au roi :

---

1. Appliqué aux animaux, le blanc est la couleur féerique de l'autre monde (voir la *blanche* biche, le cerf *blanc* des légendes arthuriennes). Bien que le blanc ne soit pas une couleur rare pour un chien, il est vraisemblable qu'Husdent possède une lointaine ascendance féerique. Il possède en tout cas les traits d'un animal psychopompe puisqu'il guide les humains dans un univers qui suggère la mort (le Morrois).

« Cessons de suivre ce chien ! Il pourrait nous conduire en un lieu d'où il serait difficile de revenir. »

Ils abandonnent le chien et retournent sur leurs pas. Husdent trouve un chemin. Il est tout heureux de cette piste. La forêt résonne de ses aboiements.

Tristan se trouvait plus loin dans les bois avec la reine et Gouvernal. Ils perçoivent les cris du chien. Tristan tend l'oreille :

« Par ma foi, dit-il, j'entends Husdent. »

Ils sont très effrayés et s'affolent. Tristan se lève d'un bond et tend son arc. Ils se réfugient au plus profond d'un fourré. Ils craignent le roi. Ils s'affolent. Ils disent que Marc arrive avec le braque. Le chien, qui suivait la piste, ne tarda guère. Quand il vit son maître et le reconnut, il agita la tête et remua la queue. À le voir verser des larmes de joie, on peut dire que jamais un bonheur comparable n'a existé. Il court vers Yseut la blonde puis vers Gouvernal. Il fait fête à tout le monde, même au cheval. Tristan s'attendrit sur le chien :

« Ah, Dieu, fait-il, par quel malheur ce chien nous a-t-il suivis ? Un chien incapable de rester silencieux dans un bois ne rend guère service à un banni. Nous sommes dans la forêt, haïs du roi. À travers plaines et bois, le roi Marc nous fait rechercher, ma dame, dans tout le pays. S'il nous trouve et nous capture, il nous fera brûler ou pendre, nous n'avons que faire d'un chien. Sachez-le bien, si Husdent reste avec nous, il sera un motif de peur et de souci. Il vaut mieux le tuer plutôt que de nous faire prendre à cause de ses aboiements. Cela m'afflige, à cause de sa nature généreuse, qu'il soit venu chercher la mort ici. C'est la noblesse de son naturel qui l'a poussé mais comment lui éviter la mort ? Vraiment, cela m'attriste beaucoup de devoir le tuer. Aidez-moi à prendre une décision ! Pourtant, nous avons grand besoin de nous protéger. »

Yseut lui dit :

« Seigneur, pitié ! Les chiens chassent en aboyant ;
c'est autant par nature que par habitude. J'ai entendu dire
qu'un forestier gallois, après l'avènement du roi Arthur,
avait procédé de la sorte. Quand un cerf blessé par une
flèche perdait son sang, où qu'il aille, le chien le poursuivait en bondissant. Il ne tournait jamais sur lui-même
pour aboyer et n'aurait jamais perdu la trace par des
aboiements. Ami Tristan, ce serait une très bonne chose
si l'on pouvait amener Husdent à ne plus aboyer lorsqu'il
poursuit et saisit le gibier. »

Tristan écoutait, immobile. Il éprouvait de la pitié pour
son chien. Il réfléchit quelques instants et dit :

« Si je pouvais, par mes efforts, amener Husdent à pré-
férer le silence aux aboiements, je le tiendrais en haute
estime. Je m'y efforcerai avant la fin de la semaine. Cela
me ferait trop de peine de le tuer, pourtant je redoute
beaucoup le cri du chien, car je pourrais me trouver avec
vous ou mon maître Gouvernal dans un endroit où ces
aboiements pourraient entraîner notre capture. Je vais
donc m'appliquer et m'employer à lui faire chasser le
gibier sans crier. »

Tristan part chasser dans la forêt avec son arc. Il était
habile. Il vise un daim. Le sang coule, le braque aboie.
Le daim blessé s'enfuit par bonds. Le joyeux Husdent
aboie haut et clair ; les bois résonnent de ses cris. Tristan
le bat, lui donne un grand coup. Le chien s'arrête auprès
de son maître, il cesse de crier, abandonne la poursuite
de la bête. Il lève la tête pour regarder son maître, il ne
sait plus que faire. Il n'ose plus crier, perd la trace.

Tristan amène le chien à ses pieds et bat la piste avec
son bâton. Husdent veut aboyer de nouveau. Tristan
continue le dressage. Avant la fin du premier mois, le
chien fut si bien dressé à chasser sur la lande qu'il suivait
la piste de sa proie sans aboyer. Ni sur la neige, ni sur

l'herbe, ni sur la glace, il n'abandonne sa bête, si rapide et si vive soit-elle !

À présent, ils ont grand besoin du chien. Celui-ci leur rend de prodigieux services. S'il capture dans la forêt un chevreuil ou un daim, il le cache soigneusement en le couvrant de branchages, et s'il l'attrape au milieu de la lande (cela lui arrive souvent), il couvre d'herbe le corps de l'animal et retourne chercher son maître ; il l'emmène alors là où il a pris la bête. Oui, les chiens rendent de grands services !

Seigneurs, Tristan séjourne longtemps dans la forêt. Il y connaît beaucoup de peines et d'épreuves. Il n'ose pas rester toujours au même endroit. Il ne couche pas le soir là où il s'est levé le matin. Il sait bien que le roi le fait chercher et qu'un ban a été proclamé sur ses terres afin que quiconque le trouverait le capture.

Dans la forêt, le pain leur manque beaucoup. Ils vivent de venaison et ne mangent rien d'autre. Qu'y peuvent-ils si leur teint s'altère ? Leurs habits tombent en lambeaux ; les branches les déchirent. Ils fuient longtemps à travers le Morrois. Tous les deux souffrent de la même façon mais chacun grâce à l'autre oublie ses maux. La noble Yseut a toutefois très peur que Tristan éprouve des remords à cause d'elle. Tristan, de son côté, appréhende qu'Yseut, brouillée à cause de lui avec le roi, n'en vienne à regretter ce fol amour.

Écoutez maintenant ce que fit un jour l'un des trois félons qui les avaient trahis — que Dieu maudisse ces personnages ! C'était un baron puissant et de grande renommée. Il était amateur de chiens.

Les Cornouaillais se méfiaient du Morrois au point que nul n'osait y pénétrer. Ils avaient bien raison, car si Tristan avait pu les capturer, il les aurait pendus à un arbre. Ils faisaient donc bien de s'en éloigner.

Un jour, Gouvernal se trouvait seul avec son destrier

près d'un ruisselet qui jaillissait d'une source. Il ôta la
selle du cheval ; celui-ci paissait l'herbe fraîche. Tristan
se reposait dans sa loge [1] de branchages. Il tenait étroitement enlacée la reine pour qui il s'était exposé à une
grande peine et à un grand tourment. Tous deux étaient
endormis. Gouvernal s'était embusqué et entendit par
hasard des chiens qui chassaient un cerf avec ardeur. Les
chiens appartenaient à l'un des trois barons dont les
conseils avaient brouillé le roi avec la reine. Les chiens
chassent, le cerf court.

En suivant le chemin, Gouvernal arrive dans une lande.
Loin derrière lui, il voit venir seul, sans écuyer, celui que
son seigneur haïssait le plus au monde. Il éperonne son
destrier au point que la bête s'élance ; il lui donne des
coups de cravache sur le cou. Le cheval bronche sur une
pierre. Gouvernal s'appuie à un arbre ; il se cache et
attend celui qui ne repartira pas aussi vite qu'il est arrivé.

Nul ne peut faire tourner le sort. Le félon n'avait guère
pensé au malheur qu'il avait causé à Tristan. Celui qui se
trouvait sous l'arbre le vit venir et l'attendait de pied
ferme. Il préfère, dit-il, que l'on disperse ses cendres au
vent plutôt que de ne pas se venger de lui. Car à cause
de lui et de ce qu'il a fait, ils faillirent tous mourir. Les
chiens poursuivent le cerf qui fuit et l'homme suit les
chiens.

Gouvernal bondit de sa cachette ; il se souvient de tout
le mal commis par cet homme. Avec son épée, il le taille
en pièces, emporte la tête et s'en va. Les veneurs qui l'ont
parfait [2], poursuivent le cerf qui a été levé. Ils aperçurent
le corps décapité de leur seigneur au pied d'un arbre.
C'est à qui courra le plus vite pour s'enfuir ! Ils pensent

---

1. Désigne là une sorte de cabane faite de branches.   **2.** Terme
de chasse : « Se dit du cerf suivi sans que les chiens aient pris le
change ».

que celui qui a fait le coup, c'est Tristan contre qui le roi a proclamé un ban.

Toute la Cornouailles entend que l'un des trois qui a brouillé Tristan avec le roi a été décapité. Tous prennent peur et s'affolent ; ils évitent désormais la forêt. Depuis lors, ils ne s'y rendent plus guère pour chasser. Sitôt entré dans la forêt, fût-ce pour chasser, chacun redoute la rencontre de Tristan le preux dans la plaine mais plus encore dans la lande.

Tristan se reposait dans la loge de feuillage. Il faisait chaud et le sol était jonché de verdure. Il était endormi et ne savait pas que celui qui avait failli le faire mourir avait lui-même perdu la vie. Il sera heureux lorsqu'il l'apprendra. Gouvernal s'approche de la loge ; il tient la tête du cadavre dans sa main. Il l'attache par les cheveux au faîte fourchu de la loge. Tristan s'éveille et voit la tête. Il sursaute effrayé et se lève d'un bond. Son maître lui crie d'une voix forte :

« Ne bougez pas, vous pouvez être rassuré ! Je l'ai tué avec cette épée. Sachez que c'était votre ennemi ! »

Tristan se réjouit de ce qu'il entend. L'homme qu'il craignait le plus est mort ! Tout le monde a peur dans les environs. La forêt suscite une telle terreur que nul n'ose y demeurer.

Maintenant, le bois appartient aux amants. C'est dans cette forêt que Tristan invente l'Arc Infaillible. Il le dispose dans la forêt de manière à tuer tout ce qu'il peut trouver. Si un cerf ou un daim court dans la forêt, s'il frôle les rameaux où l'arc tendu est fixé et s'il les heurte en haut, il est frappé en haut, mais s'il touche l'arc par le bas, il est frappé en bas.

Quand il eut fabriqué l'arc, Tristan lui donna le nom qui convenait. Il est parfaitement nommé l'arc qui ne manque rien de ce qui le touche, en bas ou en haut. Il leur rend alors d'éminents services et leur permet de manger plus d'un grand cerf. Il fallait bien que le gibier les aidât à survivre dans la forêt car le pain leur manquait et ils n'osaient sortir dans la plaine. Tristan s'appliqua longtemps à cette chasse et excellait à rapporter des provisions : ils possèdent du gibier en abondance.

Seigneurs, c'était par un jour d'été, à l'époque de la moisson, un peu après la Pentecôte. Un matin, à l'aube, les oiseaux célébraient par leurs chants le lever du jour. Tristan quitta sa loge, ceignit son épée et partit tout seul. Il allait examiner l'Arc Infaillible et chasser dans les bois.

Avant d'y venir, que de peines il connut ! Existe-t-il des gens qui en connurent autant ? Mais aucun des deux n'avait l'impression que l'autre le faisait souffrir [1] et ils avaient bien de quoi se satisfaire. Jamais depuis qu'ils sont dans la forêt, deux êtres ne burent un tel calice et jamais, comme l'histoire le dit, là où Béroul le vit écrit, il n'y eut des êtres qui s'aimèrent autant et qui le payèrent aussi cher.

La reine se lève et s'avance à la rencontre de Tristan. La forte chaleur les accablait beaucoup. Tristan l'embrasse et lui dit :

(...)

— Ami, où êtes-vous allé ?

— J'ai couru à la poursuite d'un cerf et je suis épuisé. Je l'ai tant chassé que je suis rompu de fatigue. J'ai sommeil, je veux dormir. »

La loge était faite de rameaux verts où de part en part des feuilles avaient été rajoutées ; le sol en était également jonché. Yseut se couche la première. Tristan fait de

---

1. Au lieu de comprendre ici : « grâce à la présence de l'autre, chacun des deux ne souffre pas », il vaut mieux retenir l'idée que les personnages n'ont pas conscience à ce moment précis de la déchéance sociale qu'ils s'imposent l'un à l'autre. Les effets du breuvage d'amour ne se sont pas encore évanouis.

même ; il tire son épée et la place entre leurs deux corps [1]. Yseut portait sa chemise (si elle avait été nue ce jour-là, une horrible aventure leur serait arrivée). Tristan, lui, portait ses braies. La reine gardait à son doigt la bague en or sertie d'émeraudes que le roi lui avait remise lors de leur mariage. Le doigt, d'une étonnante maigreur, retenait à peine la bague.

Écoutez comment ils se sont couchés ! Elle glissa un bras sous la nuque de Tristan et l'autre, je pense, elle le posa sur lui. Elle le tenait serré contre elle et lui aussi l'entourait de ses bras. Leur affection ne se dissimulait pas. Leurs bouches se touchaient presque, mais il y avait toutefois un espace entre elles, de sorte qu'elles ne se rejoignaient pas. Pas un souffle de vent, pas un frémissement de feuille. Un rayon de soleil tombait sur le visage d'Yseut, plus éclatant que la glace. C'est ainsi que s'endorment les amants ; ils ne pensent pas à mal. Ils sont tous les deux seuls à cet endroit car Gouvernal, il me semble, était parti à cheval chez le forestier, à l'autre bout de la forêt.

Écoutez, seigneurs, ce qui arriva ! Cela faillit être pénible et cruel pour eux. Dans la forêt, il y avait un forestier [2] qui avait repéré l'abri de feuillage où ils se reposaient. Il avait suivi le sentier jusqu'à la ramée où Tristan avait établi son gîte. Il vit les dormeurs et les reconnut parfaitement. Son sang se glace, il est saisi. Effrayé, il s'éloigne rapidement. Il sait bien que si Tristan s'éveille, il ne pourra lui laisser d'autre gage que sa propre tête. S'il s'enfuit, rien d'étonnant. Il quitte le bois, rien d'étonnant non plus. Tristan dort avec son amie ; ils ont échappé de peu à la mort. De l'endroit où ils repo-

---

1. L'épée va signifier la chasteté des personnages qui s'abstiennent ici de toute relation sexuelle. 2. Un forestier est un officier royal chargé de l'administration et de la gestion des forêts. De ce fait, il connaît bien tous les recoins de la forêt.

saient, il y a deux bonnes lieues jusqu'à la ville où le roi tient sa cour. Le forestier court à toute allure, car il avait parfaitement entendu le ban proclamé contre Tristan : celui qui apportera des informations au roi sera bien récompensé. Le forestier le savait bien et c'est pourquoi il courait avec une telle hâte.

Dans son palais, le roi Marc tenait sa cour de justice avec ses barons ; ceux-ci emplissaient la salle. Le forestier dévale la colline et entre précipitamment au château. Croyez-vous qu'il s'est arrêté avant d'atteindre les marches de la salle ? Il les gravit. Le roi voit son forestier arriver en grande hâte. Il l'interpelle aussitôt :

« As-tu des nouvelles, toi qui arrives et qui as l'air si pressé ? Tu m'as l'air de quelqu'un qui vient de courir avec des chiens à la poursuite d'une bête. Viens-tu à la cour pour te plaindre de quelqu'un ? Tu parais avoir besoin d'aide et venir de loin. Si tu désires quelque chose, délivre ton message. Quelqu'un a-t-il refusé de te payer ou as-tu été chassé de ma forêt ?

— Sire, écoutez-moi, s'il vous plaît. Accordez-moi votre attention un instant ! On a proclamé dans ce pays que quiconque pourrait trouver votre neveu devrait se laisser crever plutôt que de ne pas le capturer ou de ne pas vous en avertir. Je l'ai trouvé mais je redoute votre colère. Si je te le dis, tu [1] me tueras. Je vous emmènerai là où il dort avec la reine qui l'accompagne. Je les ai vus ensemble, il y a peu de temps. Ils étaient plongés dans un profond sommeil. J'eus grand peur quand je les vis à cet endroit. »

Le roi l'écoute, souffle et soupire. Il s'agite et se fâche. Il chuchote discrètement à l'oreille du forestier :

« Où sont-ils ? Dis-moi !

— Dans une loge feuillue du Morrois, ils dorment

---

1. Brusque passage du vouvoiement au tutoiement qui marque l'émotion du personnage.

étroitement enlacés. Venez vite, nous serons bientôt vengés d'eux ! Sire, si vous n'en tirez pas une âpre vengeance, vous n'avez aucun droit de régner, assurément. »

Le roi lui dit :

« Sors d'ici et si tu tiens à la vie, ne révèle ce que tu sais à personne, qu'il s'agisse d'un étranger ou d'un intime. Va à la Croix Rouge, sur le chemin qui sort de la ville, là où l'on enterre souvent les morts, et ne bouge plus, attends-moi ! Je te donnerai autant d'or et d'argent que tu voudras, je te le promets. »

Le forestier quitte le roi, se rend près de la croix et s'y assied. Qu'un mal infect crève les yeux de celui qui voulait perdre Tristan ! Le forestier aurait mieux fait de s'en aller, car il connut par la suite une mort honteuse, ainsi que vous l'apprendrez plus loin. Le roi entra dans la chambre et convoqua tous ses proches. Il leur interdit formellement d'avoir l'audace de le suivre. Tous lui répondirent :

« Sire, est-ce une plaisanterie ? Vous voulez aller seul quelque part ? Jamais un roi ne va sans escorte. Quelle nouvelle avez-vous donc apprise ? Ne vous dérangez pas pour avoir entendu les propos d'un espion ! »

Le roi répond :

« Je n'ai reçu aucune nouvelle mais une jeune fille m'a invité à venir rapidement lui parler. Elle me demande de n'amener aucun compagnon. J'irai tout seul sur mon destrier et n'emmènerai ni compagnon ni destrier. Pour cette fois, j'irai sans vous.

— Cela nous inquiète, répondent-ils. Caton recommandait à son fils d'éviter les endroits écartés.

— Je le sais bien, dit le roi, mais laissez-moi agir à ma guise. »

Le roi fait seller son cheval et ceint son épée. Il déplore en lui-même la traîtrise de Tristan qui lui ravit la belle et radieuse Yseut avec qui il s'était enfui. S'il les trouve, il les menacera fort et ne manquera pas de leur nuire. Le roi est parfaitement résolu à les exterminer. Quelle grande erreur !

Il sort de la ville et dit qu'il préfère être pendu plutôt que de ne pas tirer vengeance de ceux qui l'ont déshonoré. Il arrive à la croix où le forestier l'attend. Il lui dit de se dépêcher et de le conduire par le chemin le plus direct. Ils pénètrent dans la forêt très ombragée.

L'espion précède le roi. Le souverain le suit, confiant en l'épée qu'il a ceinte et avec laquelle il a donné de grands coups. Il se montre trop présomptueux. Car, si Tristan se réveillait et si le neveu et l'oncle venaient à se battre, il n'y aurait pas d'autre issue au combat que la mort de l'un ou de l'autre.

Le roi Marc promit de donner vingt marcs d'argent au forestier, s'il le conduisait au lieu convenu. Le forestier (la honte soit sur lui !) dit qu'ils approchent du but.

L'espion aide le roi à descendre de son bon cheval gascon en courant de l'autre côté pour lui tenir l'étrier. Ils attachent les rênes du destrier à la branche d'un pommier vert. Ils marchent encore un peu jusqu'à ce qu'ils aperçoivent la loge qui est l'objet de leur visite.

Le roi délace son manteau aux agrafes d'or fin. Ainsi dévêtu, il a une noble prestance. Il tire son épée du fourreau, s'avance furieux en disant qu'il préfère mourir s'il ne les tue pas maintenant. L'épée nue, il pénètre dans la loge. Le forestier arrive derrière lui et rejoint vite le roi. Marc lui fait signe de se retirer. Il lève l'arme pour frapper ; sa colère l'excite puis s'apaise soudainement. Le coup allait s'abattre sur eux ; s'il les avait tués, c'eût été un grand malheur. Quand il vit qu'Yseut portait sa chemise et qu'un espace la séparait de Tristan, que leurs bouches n'étaient pas jointes, quand il vit l'épée nue entre eux et les braies de Tristan, le roi s'exclama :

« Dieu ! Qu'est-ce que cela signifie ? Maintenant que

j'ai vu leur comportement, je ne sais plus ce que je dois faire, les tuer ou me retirer. Ils sont dans ce bois depuis bien longtemps. Je puis bien croire, si j'ai un peu de bon sens, que s'ils s'aimaient à la folie, ils ne seraient pas vêtus, il n'y aurait pas d'épée entre eux et ils se seraient disposés d'une autre manière. J'avais l'intention de les tuer, je ne les toucherai pas. Je refrénerai ma colère. Ils n'ont aucun désir d'amour fou. Je ne frapperai ni l'un ni l'autre. Ils sont endormis. Si je les touchais, je commettrais une grave erreur et si je réveillais ce dormeur, s'il me tuait ou si je le tuais, il se répandrait des bruits fâcheux. Avant qu'ils ne s'éveillent, je leur laisserai des signes tels qu'ils sauront avec certitude qu'on les a trouvés endormis, qu'on a eu pitié d'eux et qu'on ne veut nullement les tuer, ni moi, ni qui que ce soit dans mon royaume. Je vois au doigt de la reine l'anneau serti d'émeraude que je lui ai donné un jour (il est d'une grande valeur). Moi, j'en porte un qui lui a appartenu. Je lui ôterai le mien du doigt. J'ai sur moi des gants de vair[1] qu'elle apporta d'Irlande. Je veux en couvrir son visage à cause du rayon de lumière qui brûle sa face et lui donne chaud. Quand je repartirai, je prendrai l'épée qui se trouve entre eux et qui servit à décapiter le Morholt. »

Le roi ôta ses gants et regarda les deux dormeurs côte à côte ; avec ses gants, il protégea délicatement Yseut du rayon de lumière qui tombait sur elle. Il remarqua l'anneau à son doigt et le retira doucement, sans faire bouger le doigt. Autrefois, l'anneau était entré difficilement mais elle avait maintenant les doigts si grêles qu'il en glissait

---

1. La plupart des éditeurs voient dans le *voirre* du manuscrit une graphie aberrante pour *vair* (la fourrure), car Marc veut protéger Yseut du soleil et le vers 2075 mentionne l'hermine des gants. Néanmoins, on pourrait fort bien se trouver devant la survivance d'un détail *mythique*. Selon d'autres versions en effet, les amants se trouvent dans une grotte et Marc pose le gant à côté du visage d'Yseut. Son geste ne vise donc pas à la protéger du soleil.

sans peine. Le roi sut parfaitement lui retirer. Il ôta doucement l'épée qui les séparait et mit la sienne à la place [1].
Il sortit de la loge, rejoignit son destrier et l'enfourcha. Il
dit au forestier de s'enfuir : qu'il s'en retourne et dispa-
raisse !

Le roi s'en va et les laisse dormir. Cette fois-ci, il ne
fait rien d'autre. Le roi retourne dans sa cité. De plusieurs
côtés, on lui demande où il s'est rendu et où il est resté
si longtemps. Le roi leur ment et ne révèle pas où il est
allé, ce qu'il a cherché, ni ce qu'il a bien pu faire.

Mais revenons aux dormeurs que le roi venait de quitter dans le bois. Il semblait à la reine qu'elle se trouvait
dans une grande futaie, sous une riche tente. Deux lions
s'approchaient d'elle, cherchant à la dévorer. Elle voulait
implorer leur pitié mais les lions, excités par la faim, la
prenaient chacun par une main. Sous l'effet de la peur,
Yseut poussa un cri et s'éveilla. Les gants garnis d'hermine blanche lui sont tombés sur la poitrine.

À ce cri, Tristan s'éveille, le visage tout empourpré.
Saisi par l'effroi, il se lève d'un bond, saisit l'épée
comme un homme furieux. Il regarde la lame et n'aperçoit pas la brèche [2]. Il reconnut par contre la garde d'or
qui la surmontait et comprit que c'était l'épée du roi. La
reine vit à son doigt l'anneau qu'elle avait donné à Marc
alors qu'on lui avait ôté du doigt la bague qu'elle tenait
de Marc. Elle s'écria :

« Seigneur, hélas ! Le roi nous a découverts.

— Dame, c'est vrai, lui répond-il. Maintenant, il nous
faut quitter le Morrois car nous sommes très coupables à

---

1. Selon J. Marx (*Nouvelles Recherches sur la littérature arthurienne*, p. 288 et suiv.), Marc indiquerait par ces signes qu'il reprend
possession d'Yseut et qu'il est prêt à la rétablir dans son rôle d'épouse
et de reine. Yseut doit revenir au palais pour reprendre possession de
sa bague de mariage. Elle doit également rapporter l'épée du roi et
offrir à nouveau ses gants à son mari. **2.** L'épée avec laquelle Tristan avait combattu le Morholt était ébréchée.

ses yeux. Il m'a pris mon épée et m'a laissé la sienne. Il aurait très bien pu nous tuer.

— Seigneur, vraiment, je le pense aussi.

— Belle, maintenant il ne nous reste plus qu'à fuir. Le roi nous a quittés pour mieux nous tromper. Il était seul et il est allé chercher du renfort ; il pense vraiment s'emparer de nous. Dame, fuyons vers le pays de Galles ! Mon sang se retire. »

Il devient tout pâle. Alors, voici qu'arrive leur écuyer sur un destrier. Il voit que son seigneur est pâle. Il lui demande ce qu'il a.

« Par ma foi, maître, le roi Marc nous a trouvés ici pendant notre sommeil. Il a laissé son épée et emporté la mienne. Je crains qu'il ne prépare quelque félonie. Il a ôté du doigt d'Yseut son bel anneau et lui a rendu le sien. Grâce à cet échange, nous pouvons deviner, maître, qu'il veut nous tromper. Car il était seul quand il nous a découverts ; saisi par la peur, il est retourné sur ses pas. Il est parti chercher ses gens et il en a beaucoup qui sont hardis et cruels. Il les amènera ici, car il veut nous exterminer, la reine Yseut et moi. Devant tout le monde, il veut nous capturer, nous brûler et disperser nos cendres au vent. Fuyons, nous n'avons que trop tardé ! »

Ils n'ont pas de temps à perdre. Ils ont peur mais n'y peuvent rien. Ils savent que le roi est furieux et cruel. Ils s'en vont à toute allure. Ils craignent le roi à cause de ce qui vient de leur arriver. Ils traversent le Morrois et s'éloignent. Leur peur les pousse à franchir de grandes distances. Ils s'en vont directement vers le pays de Galles. L'amour leur aura causé bien des souffrances. Pendant trois années entières, ils souffrent le martyre. Ils pâlissent et maigrissent.

Seigneurs, on vous a déjà parlé du vin dont ils burent et qui les précipita pour si longtemps dans le malheur. Mais vous ne savez pas, je pense, pour combien de temps

fut déterminée l'action du breuvage d'amour[1], du vin
herbé. La mère d'Yseut qui le fit bouillir l'avait dosé pour
trois ans d'amour. C'est à Marc et à sa fille qu'elle le
destinait. Un autre le goûta et il en souffre. Tant que durè-
rent les trois ans, le vin eut tellement d'emprise sur Tristan et sur la reine que chacun disait : « Je n'en suis pas
las ! »

Le lendemain de la Saint-Jean furent révolus les trois
ans d'effet qui avaient été assignés au breuvage[2]. Tristan
quitta son lit. Yseut resta dans la loge.

Tristan, sachez-le, décocha une flèche à un cerf qu'il
venait de viser ; il lui transperça les deux flancs. Le cerf
s'enfuit et Tristan le poursuivit. À la nuit tombée, il le
poursuivait encore. Pendant qu'il courait après la bête,
revient l'heure à laquelle il a bu le breuvage d'amour ; il
s'arrête. Aussitôt, il se repent en lui-même :

« Ah, Dieu ! que de tourments j'ai connus ! Aujour-
d'hui, cela fait trois ans, jour pour jour, que le malheur
ne m'a jamais quitté, pendant les jours de fête ou les jours
ordinaires. J'ai oublié la chevalerie, les usages de la cour
et la vie des barons. Je suis banni du royaume. Tout me
manque, le vair et le gris. Je ne suis plus à la cour avec
les chevaliers. Dieu, mon cher oncle m'aurait tant aimé
si je ne lui avais pas fait autant de mal ! Ah, Dieu, tout
va bien mal pour moi ! Maintenant, je devrais me trouver
à la cour d'un roi, entouré de cent damoiseaux qui feraient
leurs premières armes et se trouveraient à mon service.
Je devrais partir dans un autre royaume, au service d'un
roi et rechercher une solde. Le sort de la reine me pèse

---

1. Le terme anglais *lovendrin* (*love-drink*, breuvage d'amour) provient probablement du récit adapté par notre conteur.   **2.** Pour
Béroul et Eilhart, le breuvage d'amour a des effets limités dans le
temps. Pour Thomas par contre, son action ne cesse pas un seul instant.
La date fatidique d'absorption du philtre est ici indiquée : il s'agit de
la Saint-Jean-Baptiste (24 juin) qui correspond au solstice d'été.

beaucoup : je lui offre une loge feuillue en guise de chambre. Elle vit dans un bois alors qu'elle pourrait résider avec sa suite dans de beaux appartements tendus de draps de soie. À cause de moi, elle a pris un mauvais chemin. J'implore Dieu, le maître du monde, qu'il me donne la force de laisser la reine en paix avec mon oncle. Je le jure devant Dieu, je le ferais très volontiers, si je le pouvais, afin qu'Yseut soit réconciliée avec le roi Marc qu'elle a épousé, hélas ! devant beaucoup de puissants seigneurs et selon le rite romain. »

Tristan s'appuie sur son arc. Il se repent souvent de son attitude envers Marc, son oncle, à qui il a causé un grand tort en faisant naître la discorde entre lui et sa femme. Le soir, Tristan se lamentait.

Mais écoutez ce qu'il en est d'Yseut. Elle répétait :

« Pauvresse, malheureuse, qu'as-tu fait de ta jeunesse ? Tu vis dans les bois comme une serve, sans grand monde pour te servir. Je suis reine mais j'ai perdu ce titre à cause du breuvage que nous avons bu sur la mer [1]. Voilà l'œuvre de Brangien qui devait pourtant y prendre garde ! La malheureuse, comme elle l'a mal gardé ! Elle n'en pouvait rien car l'erreur était manifeste. Les demoiselles des seigneuries, les filles des nobles vavasseurs, je devrais les avoir à mes côtés, dans mes appartements, pour me servir. Je devrais les marier et les donner à des seigneurs dans une bonne intention. Ami Tristan, elle nous mit dans une triste situation celle qui nous fit boire à tous deux le breuvage d'amour ; il était impossible de nous tromper davantage. »

Tristan lui répondit :

« Noble reine, nous passons notre jeunesse dans le mal. Belle amie, si je pouvais, grâce au conseil de quelqu'un,

---

1. Les textes tristaniens postérieurs gloseront le jeu de mots qui associe l'*amer* (infinitif du verbe « aimer »), la *mer* (le breuvage a été bu sur la mer) et l'*amer* (l'amertume que le breuvage vaut aux amants).

me réconcilier avec le roi Marc afin qu'il oubliât sa colère et qu'il acceptât notre justification selon laquelle jamais, ni en actes ni en paroles, je n'ai eu avec vous une liaison ayant pu lui causer de la honte, il n'est pas un chevalier de ce royaume de Lidan jusqu'à Durham, s'il osait prétendre que je vous aie aimé de manière déshonorante, qui ne me trouverait aussitôt armé sur le champ clos[1]. Et si Marc voulait m'autoriser, quand vous auriez soutenu votre bon droit, à faire partie de sa maison, je le servirais avec grand honneur comme mon oncle et mon seigneur. Personne sur ses terres ne le soutiendrait mieux que moi dans ses guerres. Mais s'il lui plaisait de vous reprendre et de se séparer de moi, en dédaignant mes services, je m'en irais chez le roi de Frise[2] où je passerais en Bretagne avec Gouvernal sans autre compagnie. Noble reine, où que je me trouve, je me proclamerai toujours vôtre. Je n'aurais pas voulu de cette séparation si nous avions pu demeurer ensemble, s'il n'y avait eu, belle amie, les terribles tourments que vous supportez et que vous avez supportés chaque jour, à cause de moi, dans ces lieux sauvages. À cause de moi, vous avez perdu le titre de reine. Vous pourriez vivre honorée avec votre époux, dans vos appartements, s'il n'y avait eu le vin herbé qui nous fut donné sur la mer. Noble Yseut au beau visage, que nous conseillez-vous de faire ?

— Sire, grâce soit rendue à Jésus, puisque vous voulez renoncer au péché ! Ami, souvenez-vous de l'ermite Ogrin qui nous prêcha tant les préceptes de l'Écriture quand vous êtes allé chez lui aux lisières de ce bois. Cher et tendre ami, si un sentiment profond vous conduit au repentir, cela ne peut pas tomber mieux. Sire, dépêchons-

---

1. Endroit où se déroulent tournois et combats singuliers. Ces derniers servent à établir son bon droit.   2. L'estuaire de la Forth en Écosse au pays de Dumfries était appelé mer de Frise *(mare Fressicum)* dans les textes médiévaux.

nous de le revoir car je suis sûre d'une chose : il nous donnera un bon conseil qui nous permettra encore d'atteindre la joie éternelle. »

Tristan comprend cela et pousse un soupir :

« Noble reine, dit-il, retournons à l'ermitage cette nuit même ou demain matin. Avec le conseil de maître Ogrin et grâce à une lettre, sans autre message, nous ferons connaître au roi notre intention.

— Ami Tristan, voilà de sages paroles. Puissions-nous tous les deux implorer le Roi des cieux de nous prendre en pitié, Tristan, mon ami ! »

Les amants font demi-tour dans la forêt et après une longue marche parviennent à l'ermitage. Ils trouvent l'ermite Ogrin en pleine lecture. Quand il les voit, il les appelle gentiment alors qu'ils se sont assis dans la chapelle :

« Pauvres exilés, au prix de quelles terribles douleurs l'Amour vous entraîne-t-il irrésistiblement ! Combien de temps durera votre folie ? Vous avez déjà trop longtemps mené cette vie ! Allons, repentez-vous donc !

— Écoutez-moi, lui répondit Tristan. Si nous avons mené cette vie si longtemps, c'est parce que c'était notre destin. Cela fait trois ans bien comptés que les tourments ne nous ont pas quittés. Si nous pouvons trouver un conseil qui permette de réconcilier le roi et la reine, je ne chercherai plus jamais à servir le roi Marc comme mon seigneur mais je m'en irai avant un mois en Bretagne ou en Loonois[1]. Si toutefois mon oncle accepte ma présence pour le servir à sa cour, je ferai mon devoir. Seigneur, mon oncle est un roi puissant (...). Au nom de Dieu, don-

---

1. Patrie de Tristan. Elle se trouverait en Grande-Bretagne selon certaines sources romanesques, mais on la confondra plus tard avec le pays de Léon en Bretagne française. Pour certains spécialistes, le Loonois serait le Lothian en Écosse. Il pourrait également s'agir de la région de Carlion-sur-Wyse.

nez-nous le meilleur conseil sur ce que vous venez d'entendre et nous ferons ce que vous direz. »

Seigneurs, écoutez ce que fait la reine. Elle se jette aux pieds de l'ermite, le suppliant sincèrement de les réconcilier avec le roi. Elle se lamente :

« Non, plus jamais de ma vie, je n'aurai à cœur de commettre une folie. Je ne dis pas, comprenez-moi bien, que je me repente à propos de Tristan car je l'aime, comme un ami, d'un amour pur, sans déshonneur. L'union de nos corps, l'un comme l'autre, nous en sommes délivrés. »

À ces mots, l'ermite pleure, louant Dieu de ce qu'il entend :

« Ah, Dieu, beau roi tout-puissant, je vous rends grâce de bon cœur pour m'avoir laissé vivre jusqu'à ce que ces deux jeunes gens viennent solliciter mes conseils au sujet de leur péché. Puissé-je vous en savoir gré pour toujours ! Je jure sur ma foi et ma religion que vous obtiendrez un bon conseil de moi. Tristan, écoutez-moi un peu (vous êtes venu jusqu'ici, chez moi), et vous, reine, écoutez ce que je vais vous dire et soyez raisonnable. Quand un homme et une femme ont péché, s'ils se sont donnés l'un à l'autre et se sont quittés, s'ils en viennent à faire pénitence et manifestent un repentir sincère, Dieu pardonne leur crime, si scandaleux et horrible soit-il. Tristan et vous, reine, écoutez-moi un peu et comprenez-moi. Pour effacer la honte et dissimuler le mal, on doit mentir un peu à bon escient. Puisque vous me demandez un conseil, je vais vous le donner sans tarder. Sur du parchemin, je rédigerai une lettre qui commencera par une salutation. Vous l'enverrez à Lantien et, avec vos compliments, vous ferez savoir au roi que vous êtes avec la reine dans la forêt mais que, s'il veut la reprendre et oublier sa rancune, vous feriez de même à son égard et vous vous rendriez à sa cour. Au cas où vous ne pourriez vous défendre, contre un homme fort, sage ou stupide, d'avoir entretenu une liaison malhonnête avec Yseut, que le roi Marc vous fasse pendre. Tristan, j'ose vous conseiller de la sorte parce que vous ne trouverez pas d'égal pour oser parier contre vous. Je vous donne ce conseil en toute bonne foi. Marc ne peut contester ceci : quand il voulut vous livrer à la mort et vous brûler sur le bûcher à cause du nain (les nobles et le peuple ont vu tout cela), il ne voulut pas entendre parler de procès. Par la grâce de Dieu, vous avez été sauvés, comme on l'a souvent dit, et sans la puissance divine, vous auriez péri honteusement. Vous avez fait un saut tel qu'il n'y a personne, du Cotentin jusqu'à Rome, qui ne l'aurait vu sans frémir. Alors, vous avez pris la fuite parce que vous aviez peur. Vous avez secouru la reine et depuis lors vous êtes restés dans les bois. Vous l'aviez escortée depuis son pays et l'aviez donnée en mariage à votre oncle. Tout cela a été fait, il le sait bien. Les noces eurent lieu à Lantien. Vous ne pouviez pas abandonner la reine, alors vous avez préféré fuir avec elle. S'il accepte votre serment de disculpation, devant tout le monde, puissants et petits, proposez-lui de le faire devant sa cour. Et s'il le juge bon, quand vos vassaux auront approuvé votre loyauté, qu'il reprenne sa noble épouse. Si vous constatez que cela lui convient, vous serez à sa solde et vous le servirez très volontiers. Mais s'il refuse vos services, vous traverserez la mer de Frise, pour servir un autre roi. Tel sera le texte de la lettre.

— C'est d'accord ! Mais il faudrait un rajout sur le parchemin, seigneur Ogrin, si vous le permettez, car je n'ai pas confiance en lui : il a proclamé un ban contre moi. Je le prie, comme un seigneur à qui je porte un amour sincère, de me répondre par une autre lettre et d'y écrire son bon plaisir ; qu'il ordonne de pendre la lettre à la Croix Rouge, au milieu de la lande. Je n'ose pas lui révéler où je me trouve car je crains qu'il cherche à me nuire. Je me fierai parfaitement à la lettre quand je la recevrai et je ferai tout ce qu'il voudra. Maître, que ma lettre soit scellée. Sur le ruban, vous écrirez : *Vale*[1]. Je n'ai rien de plus à ajouter pour cette fois. »

L'ermite Ogrin se lève, prend plume, encre et parchemin et consigne toutes ces paroles par écrit. Après cela, il prend un anneau et presse son chaton dans la cire. Il tend la lettre scellée à Tristan qui la reçoit volontiers.

« Qui la portera ? demande l'ermite.

— Moi.

— Non, Tristan, ne le faites pas !

— Mais si, je le ferai, car je connais bien la région de Lantien. Cher seigneur Ogrin, avec votre permission, la reine restera ici. D'ici peu, à la nuit tombée, quand le roi dormira sur ses deux oreilles, j'enfourcherai mon destrier et j'emmènerai mon écuyer avec moi. À l'extérieur de la ville, il y a une côte. C'est là que je laisserai mon cheval et je continuerai à pied. Mon maître gardera mon cheval : jamais un laïc ou un prêtre n'en vit de meilleur. »

Cette nuit-là, après le coucher du soleil, quand le temps s'assombrit, Tristan se mit en route avec son maître. Il connaissait bien tout le pays et toute la région.

À force de chevaucher, ils arrivent à la cité de Lantien. Tristan met pied à terre et entre dans la ville. Les guetteurs font retentir leur cor avec bruit. Il franchit le fossé du château et gagne précipitamment la grande salle. Tristan n'a plus qu'à montrer ses talents ! Il atteint la fenêtre de la chambre où le roi dort ; il l'appelle doucement car il n'a pas envie de vociférer.

Le roi se réveille et dit :

« Qui es-tu pour venir à une heure pareille ? As-tu besoin de quelque chose ? Dis-moi ton nom.

— Sire, on m'appelle Tristan. J'apporte une lettre et je

---

1. En latin « porte-toi bien ». Formule habituelle de conclusion d'une lettre.

la laisse sur la fenêtre de cette pièce. Je n'ose pas m'entretenir longuement avec vous. Je vous laisse la lettre, je n'ose m'attarder. »

Tristan s'en retourne. Le roi bondit et l'appelle à trois reprises :

« Par Dieu, cher neveu, attendez votre oncle ! »

Le roi s'empare de la lettre. Tristan s'en va, il n'attend guère, il s'empresse de partir et arrive près de son maître qui l'attend et saute prestement en selle.

« Insensé, dépêche-toi ! lui dit Gouvernal. Prenons les petits sentiers ! »

À force de chevaucher à travers bois, ils arrivent à l'ermitage au petit jour. Ils y entrent. Ogrin priait avec insistance le Roi des cieux pour qu'il préserve Tristan et son écuyer Gouvernal. Quand il les vit, quelle ne fut pas sa joie ! Il rendit grâce au Créateur. Inutile de demander si Yseut était anxieuse de les revoir. Pas un seul instant, depuis leur départ, la veille au soir, jusqu'à leur retour auprès d'elle et l'ermite, elle ne cessa d'essuyer ses larmes. L'attente lui parut bien longue.

Quand elle le voit revenir, elle le prie (...) il ne fut pas question de ce qu'il y avait fait.

« Ami, dites-moi, si Dieu vous aime, vous êtes donc allé à la cour du roi ? »

Tristan leur raconta tout, comment il entra dans la cité, comment il parla au roi, comment le roi le rappela, comment il se défit de la lettre et comment le roi trouva le message.

« Dieu, dit Ogrin, grâce vous soit rendue. Tristan, sachez-le, vous aurez bientôt des nouvelles du roi Marc. »

Tristan descend de cheval et dépose son arc. Ils séjournent désormais à l'ermitage. Le roi fait réveiller ses barons. Il convoque d'abord son chapelain et lui tend la lettre qu'il tient dans la main. Celui-ci brise la cire et lit le texte. Il aperçoit d'abord le nom du roi à qui Tristan adresse ses salutations. Il déchiffre rapidement tous les mots et informe le roi du message. Le roi l'écoutait avec attention. Il se réjouissait énormément car il aimait beaucoup sa femme. Le roi fit réveiller ses barons et convoqua ceux qu'il estimait le plus [1]. Quand ils furent tous présents, le roi prit la parole et tous se turent :

« Seigneurs, on m'a envoyé une lettre. Je suis votre roi et vous êtes mes marquis. Que la lettre soit lue et entendue ! Une fois qu'elle aura été lue, je vous demande de m'éclairer de vos conseils. Vous devez me donner de bons conseils. »

Dinas se leva le premier et s'adressa à ses pairs :

« Seigneurs, écoutez-moi. S'il vous semble que je ne parle pas bien, alors n'accordez aucun crédit à mes propos. Si quelqu'un sait mieux parler que moi, qu'il parle mais qu'il le fasse correctement en évitant toute sottise. Nous ne savons pas de quel pays provient la missive qui nous est transmise : qu'on lise d'abord cette lettre, puis en fonction de son contenu, si quelqu'un sait donner un bon conseil, qu'il parle. Je ne vous le cache pas, celui qui donne de mauvais conseils à son seigneur légitime ne peut guère commettre de plus grave erreur. »

Les Cornouaillais disent au roi :

« Dinas a parlé fort courtoisement. Seigneur chapelain, lisez [2] la lettre ! Nous devons tous l'entendre, de bout en bout. »

Le chapelain se lève, déplie la lettre avec ses deux mains et se plante en face du roi :

« Écoutez maintenant et comprenez-moi bien. Tristan, le neveu de notre seigneur, adresse d'abord son salut et son affection au roi et à tous ses barons : "Roi, vous

---

1. Le roi ne peut pas prendre une décision sans en référer à ses barons. Ceux-ci possèdent un droit et un devoir de conseil.   **2.** Le chapelain sait lire et écrire. Ce n'est pas le cas de la plupart des nobles ni même du roi ; c'est un reflet assez exact de l'analphabétisme au XIIᵉ siècle.

n'ignorez rien sur le mariage de la fille du roi d'Irlande. Je suis allé par la mer jusqu'en Irlande et j'ai conquis Yseut grâce à ma prouesse. J'ai tué le grand dragon à la crête d'écailles, c'est la raison pour laquelle elle me fut confiée. Je l'ai amenée dans votre royaume, sire, et vous l'avez prise pour femme, vos chevaliers en sont témoins. Vous n'étiez pas avec elle depuis bien longtemps que les mauvaises langues de votre royaume vous ont raconté des mensonges. Au cas où quelqu'un voudrait lui infliger un blâme, je suis prêt à relever le défi et à prouver contre mon pair, cher sire, à pied ou à cheval (chacun aura des armes et un cheval), que jamais nous n'avons éprouvé, elle envers moi ou moi envers elle, un amour coupable. Si je ne peux pas la disculper et m'innocenter devant votre cour, alors faites-moi juger devant tous vos hommes. Je n'en exclus aucun. Il n'y a pas un seul baron qui, pour m'abattre, ne souhaiterait me faire brûler ou condamner. Vous savez bien, sire, cher oncle, que, emporté par votre colère, vous vouliez nous brûler mais nous avons imploré le Seigneur et il nous a pris en pitié. Par chance, la reine en réchappa. Dieu me garde, ce fut justice, car vous aviez grand tort de vouloir la mettre à mort. Moi aussi, je m'en suis tiré en sautant du haut d'un grand rocher. Alors, la reine fut abandonnée aux lépreux en guise de châtiment. C'est moi qui la leur ai ravie et qui l'ai emmenée. Depuis lors, j'ai sans cesse fui avec elle. Je ne devais pas l'abandonner puisque, injustement, elle avait failli mourir à cause de moi. Par la suite, j'ai erré avec elle dans les bois car je n'avais pas la témérité d'oser paraître en terrain découvert. (...) nous prendre et nous livrer à vous. Vous nous auriez fait brûler ou pendre ; c'est la raison pour laquelle il nous fallait fuir. Mais si, désormais, il vous plaisait de reprendre Yseut au teint clair, aucun baron de ce pays ne serait plus empressé que moi pour vous servir. Si au contraire on vous persuade de vous passer de mes services, je m'en irai chez le roi de Frise. Plus jamais, vous n'entendrez parler de moi et je traverserai la mer. Sire, prenez une décision là-dessus. Je ne peux plus souffrir un tel tourment. Ou bien je me réconcilierai avec vous ou bien je ramènerai la fille du roi en Irlande, là où je l'ai conquise. Elle sera reine en son pays." »

Le chapelain dit au roi :

« Sire, il n'y a plus rien d'écrit. »

Les barons ont entendu la requête de Tristan qui leur offre de se battre pour la fille du roi d'Irlande. Il n'est pas un baron de Cornouailles qui ne dise :

« Sire, reprenez votre femme. Ils n'ont jamais été bien intelligents ceux qui ont tenu sur la reine les propos qui viennent d'être rapportés. Je ne puis vous conseiller de laisser Tristan vivre de ce côté de la mer. Qu'il aille chez le puissant roi de Galloway [1] qui fait la guerre au roi d'Écosse ! Il pourra rester là-bas et vous recevrez peut-être de lui des nouvelles qui vous inciteront à l'envoyer chercher. Nous ne savons pas où il va. Envoyez-lui une lettre pour qu'il vous ramène ici la reine, à bref délai. »

Le roi appelle son chapelain :

« Écrivez rapidement cette lettre. Vous avez entendu ce qu'il faut y mettre. Dépêchez-vous de l'écrire ; je suis très anxieux. Il y a fort longtemps que je n'ai pas vu la noble Yseut. Elle a beaucoup souffert dans sa jeunesse. Quand la lettre sera scellée, pendez-la à la Croix Rouge. Qu'elle y soit accrochée ce soir même. Ajoutez-y mes salutations ! »

Après avoir écrit la lettre, le chapelain la suspendit à la Croix Rouge. Tristan ne dormit pas de la nuit. Avant minuit, il traversa la Blanche Lande et emporta la lettre scellée. Il connaissait bien la région de Cornouailles.

Il arrive chez Ogrin et lui donne la missive. L'ermite

---

1. Peut-être une région d'Écosse.

prend la lettre, déchiffre son contenu. Il apprend la magnanimité du roi qui oublie sa colère envers Yseut et accepte volontiers de la reprendre. Il note que la réconciliation est proche. Désormais, il parlera comme il convient et comme le roi qui croit en Dieu :

« Tristan, quelle grande joie vous arrive ! Votre requête a déjà été entendue car le roi reprend la reine. Tous ses gens le lui ont conseillé mais ils n'osent toutefois pas lui proposer de vous prendre à sa solde. Pendant un an ou deux, allez donc servir dans un autre pays un roi qui est en guerre. Ensuite, si le roi le souhaite, vous reviendrez auprès de lui et d'Yseut. D'ici trois jours, pas plus, le roi se tient prêt à la recevoir. C'est devant le Gué Aventureux qu'aura lieu la conciliation entre vous et lui. C'est là que vous lui rendrez la reine, c'est là qu'elle sera reprise. La lettre ne dit rien de plus.

— Dieu, dit Tristan, quelle séparation ! Il a bien mal celui qui perd son amie. Mais il faut pourtant le faire après les privations que vous avez supportées à cause de moi : vous ne devez pas souffrir davantage. Quand viendra le moment de la séparation, je vous donnerai, belle amie, mon gage d'amour et vous me donnerez le vôtre. Tant que je serai dans ce pays étranger, que je fasse ou non la guerre, je vous enverrai des messages. Ma belle amie, écrivez-moi alors en toute franchise, selon votre bon plaisir. »

Yseut poussa un profond soupir et dit :

« Tristan, écoutez-moi un peu. Laissez-moi Husdent, votre braque. Jamais un chien de chasse ne sera gardé avec autant d'égards que celui-ci. Quand je le verrai, il me semble, je me souviendrai souvent de vous. Si triste que soit mon cœur, sa vue me réjouira. Jamais depuis que la loi divine a été proclamée, une bête n'aura été si bien hébergée ni couchée dans un lit aussi somptueux. Ami Tristan, j'ai une bague avec un jaspe vert et un sceau.

Cher seigneur, pour l'amour de moi, portez la bague à votre doigt et si le désir vous prend, seigneur, de m'envoyer un message, je n'en croirai rien tant que je ne verrai pas cet anneau. Mais, si je vois la bague, aucune interdiction royale ne m'empêchera, que cela soit sage ou non, d'accomplir ce que dira celui qui m'apportera cet anneau, pourvu que cela n'entache pas notre honneur ; je vous le promets au nom de notre parfait amour [1]. Ami, acceptez-vous de me donner le vif Husdent attaché à sa laisse ? »

Tristan répond :

« Mon amie, je vous donne Husdent comme gage de mon amour.

— Sire, je vous en remercie. Puisque vous m'avez confié le braque, prenez la bague en échange. »

Elle l'ôte de son doigt et la lui passe. Tristan et Yseut échangent des baisers, en gage mutuel de possession. L'ermite se rend au Mont [2] à cause des merveilles qu'on y trouve. Il y achète ensuite du vair et du petit-gris, des draps de soie et de la pourpre [3], de l'écarlate [4], de la toile blanche, plus éclatante que fleur de lys et un palefroi qui va doucement l'amble [5], tout harnaché d'or qui flamboie. L'ermite Ogrin en achète tant au comptant et à crédit, marchandant tellement de brocarts, de vairs, de gris et d'hermines, qu'il peut vêtir somptueusement la reine. Dans toute la Cornouailles, le roi fait proclamer qu'il se réconcilie avec sa femme : « Devant le Gué Aventureux aura lieu la réconciliation. »

La rumeur se répand partout. Il n'est chevalier ni dame qui ne vienne à cette assemblée. Ils souhaitaient le retour

---

1. Le texte mentionne au vers 2722 l'expression *fine amor* si célèbre chez les troubadours. 2. Il s'agit du Mont-Saint-Michel de Cornouailles. 3. Fourrure provenant d'un lapin originaire de Russie. 4. Étoffe de laine fine qui n'était pas nécessairement rouge. 5. L'*amble* est l'allure normale et confortable du cheval de voyage appelé *palefroi* (par opposition au *destrier*, cheval de combat).

de la reine. Elle était aimée de tout le monde sauf des félons, que Dieu les anéantisse ! Tous les quatre furent bien payés : deux périrent par l'épée, le troisième fut tué par une flèche. Ils moururent atrocement dans leur pays. Le forestier qui dénonça les amants ne put éviter une mort cruelle car, par la suite, le noble et blond Périnis le tua avec sa fronde dans la forêt. Dieu qui veut abattre l'orgueil insolent les vengea de tous les quatre.

Seigneurs, le jour de l'assemblée, le roi Marc était entouré d'une grande foule. On avait dressé là de nombreux pavillons et de nombreuses tentes de baron. La prairie en était recouverte à perte de vue. Tristan chevauche avec son amie.

Tristan chevauche et voit la borne. Sous sa tunique, il avait revêtu son haubert car il craignait pour sa personne, à cause des torts qu'il avait faits au roi. Il aperçut les tentes sur la prairie et reconnut le roi et son entourage. Il s'adressa gentiment à Yseut :

« Dame, prenez Husdent ! Pour Dieu, je vous implore de le garder. Si vous l'avez jamais aimé, c'est le moment de le montrer ! Voilà le roi, votre mari, accompagné des hommes de son royaume. Nous ne pourrons plus désormais avoir de longues entrevues. Je vois venir ces chevaliers, le roi et ses soldats, dame ; ils viennent à notre rencontre. Par le Dieu puissant et glorieux, si je vous prie de faire quelque chose, rapidement ou en prenant votre temps, dame, suivez ma volonté.

— Ami Tristan, écoutez-moi ! Au nom de la confiance que je vous dois, si vous ne m'envoyez pas l'anneau qui se trouve à votre doigt, afin que je le voie, je ne croirai rien de ce que dira le messager. Mais, dès que je reverrai l'anneau, aucune tour, aucun mur, aucun château fort ne m'empêchera d'accomplir immédiatement la volonté de mon bien-aimé, selon mon honneur, ma loyauté et ce que je saurai être votre désir.

— Dame, répondit-il, que Dieu vous en sache gré ! »

Il l'attire à lui et la serre dans ses bras. Yseut qui ne manquait pas de bon sens, lui dit alors :

« Ami, écoutez mes paroles !

— Faites-vous donc bien comprendre de moi !

— Vous me conduisez et me rendez au roi, sur le conseil de l'ermite Ogrin, qu'il connaisse une fin paisible ! Par Dieu, je vous prie, cher et doux ami, de ne pas quitter ce pays sans savoir comment le roi se comportera envers moi, s'il me manifestera sa colère ou sa sincérité. Quand le roi m'aura reprise, je vous prie, moi qui suis votre bien-aimée, de passer la nuit chez Orri le forestier. Puisse ce séjour là-bas, à cause de moi, ne pas trop vous coûter ! Nous avons couché chez lui plus d'une fois dans le lit qu'il fit faire pour nous. Les trois qui ont cherché à nous nuire connaîtront une triste fin ! Leurs corps seront étendus sur le dos dans la forêt, cher et doux ami, et cette vision me fait peur[1] : que l'Enfer s'ouvre pour les engloutir ! J'ai peur d'eux car ils sont perfides. Vous irez en lieu sûr dans la cave sous la cabane, mon ami. Je vous ferai parvenir par Périnis[2] des nouvelles de la cour du roi. Ami, que Dieu vous conseille ! Puisse votre hébergement là-bas ne pas être pour vous une source de tracas ! Vous verrez souvent mon messager. Je vous ferai savoir comment je me porte, grâce à mon valet et à votre maître. (...)

— Non, il n'en fera rien, chère amie. Celui qui vous reprochera une conduite insensée ferait mieux de se méfier de moi comme du diable.

— Seigneur, répondit Yseut, grand merci ! Maintenant je suis très contente. Vous m'avez conduite sur une bonne voie. »

Après s'être approchés les uns des autres, ils échangent

---

1. Yseut a la vision prophétique de l'assassinat des barons.
2. Le valet d'Yseut.

des saluts. Le roi s'avançait fièrement à une portée d'arc devant sa suite. Avec lui, il y avait, je crois, Dinas de Dinan. Tristan tenait par la bride le cheval de la reine et le conduisait. Alors, il salua le roi comme il convient :

« Sire, je vous rends la noble Yseut. Jamais on ne restitua un bien plus précieux. Je vois ici les hommes de votre terre et, devant eux, je veux vous demander l'autorisation de me disculper et de prouver devant votre cour que jamais, à aucun jour de ma vie, je n'ai eu avec elle de relation amoureuse, ni elle avec moi. On vous a fait croire des mensonges. Mais, que Dieu m'accorde joie et bienfaits, il n'y a jamais eu de jugement ! Permettez-moi, sire, de combattre à pied ou d'une autre manière en présence de votre cour. Si je suis reconnu coupable, qu'on me brûle dans le soufre. Mais, si je peux en sortir sain et sauf, qu'il n'y ait chevelu ni chauve (...) Retenez-moi à votre service ou bien je m'en irai en Loonois. »

Le roi discute avec son neveu. Andret, natif de Lincoln [1], lui dit :

« Sire, gardez-le donc à vos côtés, on vous craindra et on vous redoutera davantage pour cela. »

Marc est sur le point d'y consentir ; son cœur s'est beaucoup attendri. Le roi le prend à part. Il laisse la reine avec Dinas qui est franc et loyal, habitué à se comporter honorablement. Celui-ci s'amuse et plaisante avec elle et lui ôte des épaules sa cape de somptueuse écarlate. Elle portait une tunique sur un grand bliaut de soie. Que vous dirais-je de son manteau ? Jamais l'ermite qui l'acheta n'en regretta le prix élevé. Sa robe était luxueuse et son corps élégant, ses yeux pétillants et ses cheveux d'or. Le sénéchal plaisante avec elle. Cela déplaît fortement aux

---

1. Ce personnage qui parle en faveur de Tristan n'est pas à confondre avec l'autre Andret (vers 4035) qui sera abattu par Tristan lors de la joute sur la Blanche Lande. Ce second Andret surveille jalousement Yseut pendant l'épisode du Mal Pas.

trois barons. Maudits soient-ils, ils sont trop méchants !
Déjà, ils se rapprochent du roi :

« Sire, font-ils, écoutez-nous ! Nous allons vous donner
un bon conseil. La reine est sous le coup d'une condamnation et elle s'est enfuie du royaume. Si Tristan et la
reine réintègrent de nouveau votre cour, on dira, nous
semble-t-il, que l'on admet leur félonie. Rares seront ceux
qui ne le diront pas. Laissez Tristan quitter votre cour !
D'ici un an, quand vous serez certain de la loyauté
d'Yseut, demandez à Tristan de revenir à vos côtés. Voilà
le conseil que nous vous donnons en toute bonne foi. »

Le roi répond :

« Quoi qu'on me dise, je suivrai ce conseil. »

Les barons retournent auprès de Tristan et lui rappor-
tent la décision royale. Quand Tristan entend qu'on ne lui
accorde plus aucun délai et que le roi veut le voir partir,
il prend congé d'Yseut. Les amants se regardent tendre-
ment. La reine rougit ; elle avait honte devant tout le
monde.

Tristan s'en va, il me semble. Mon Dieu, il rendit plus
d'un cœur triste ce jour-là ! Le roi lui demande où il se
rendra. Il lui donnera tout ce qu'il voudra. Il met à sa
disposition de l'or, de l'argent, du vair et du petit-gris.

Tristan dit :

« Roi de Cornouailles, je ne prendrai pas un sou. Muni
de tout ce dont je puis disposer, je me rendrai avec grand
plaisir chez un puissant roi qui est en guerre. »

Tristan possède une très belle escorte composée des
barons et du roi Marc. Il se dirige vers la mer. Yseut le
suit des yeux. Aussi longtemps qu'elle l'aperçoit, elle ne
bouge pas.

Tristan s'éloigne et ceux qui l'ont escorté quelque peu
reviennent sur leurs pas. Dinas l'accompagne encore un
moment, il l'embrasse souvent et le prie de revenir un
jour, sain et sauf. Tous deux se jurent fidélité :

« Dinas, écoute-moi un instant. Je quitte ce pays, tu sais bien pourquoi. Si je te fais demander, par l'intermédiaire de Gouvernal, un service urgent, accomplis-le, comme tu le dois. »

Ils s'embrassent plus de sept fois. Dinas le prie de n'avoir aucune crainte. Il n'a qu'à dire, il fera tout ce qui est en son pouvoir. Dinas dit que ce sont de nobles adieux mais que, pour respecter sa promesse, il veillera sur Yseut. Il ne le ferait certainement pas pour le roi. Alors, Tristan se sépare de lui. En se quittant, tous deux sont très tristes. Dinas retrouve le roi qui l'attend dans la lande.

À présent, les barons chevauchent vers la cité au petit trot. Tous les habitants sortent de la ville ; ils sont plus de quatre mille, hommes, femmes et enfants. Pour Yseut comme pour Tristan, ils manifestent une joie exubérante. Les cloches sonnent dans toute la cité. Quand ils apprennent que Tristan s'en va, tous en éprouvent du chagrin. Ils se réjouissent beaucoup de revoir Yseut et se mettent en peine pour la servir. Car, sachez-le, il n'y avait pas une rue qui n'était décorée de brocarts[1]. Ceux qui n'avaient pas de brocarts avaient mis des tentures. Partout où passait la reine, la rue était très bien jonchée. Ils remontent la chaussée vers l'église Saint-Samson. La reine et les barons s'y rendent tous ensemble.

Évêque, clercs, moines et abbés sortirent tous à sa rencontre, vêtus d'aubes et de chapes. La reine descendit de cheval ; elle portait une robe de pourpre foncé. L'évêque la prit par la main et la conduisit dans l'église. On la mena directement à l'autel. Le preux Dinas qui était un baron exemplaire, lui apporta un vêtement qui valait bien cent marcs d'argent, un riche drap de soie tissé d'or ; jamais un comte ou un roi n'en posséda de semblable. La

---

1. Somptueux tissu de soie comportant des dessins « brochés ». La texture de ce tissu se compose de fils de soie, d'or et d'argent entremêlés pour former des dessins en relief.

reine Yseut le prit et, dans un geste de générosité, le déposa sur l'autel. On en fit depuis lors une chasuble qui ne sort jamais du trésor, sauf aux grandes fêtes de l'année. Elle se trouve encore à Saint-Samson, selon ceux qui l'ont vue.

La reine sortit ensuite de l'église. Le roi, les princes et les comtes la conduisirent dans le palais dominant la ville. Il y eut alors des explosions de joie. Aucune porte ne fut fermée : celui qui voulait entrer pouvait venir manger, on ne refusa personne. Ce jour-là on rendit tous les honneurs à la reine. Jamais depuis le jour de son mariage, on ne lui fit autant d'honneur que durant cette journée. Le même jour, le roi affranchit cent serfs et donna armes et hauberts à vingt jeunes gens qu'il adouba [1].

Écoutez à présent ce que Tristan va faire ! Tristan s'en va, il vient de restituer la reine. Il quitte la route, prend un sentier. Après avoir parcouru sentiers et chemins, il arrive en secret à la maison du forestier. Orri le fait entrer discrètement et le conduit dans la grande cave. Il lui procure tout ce dont il a besoin.

Orri était merveilleusement accueillant. Il attrapait sangliers et laies au filet. Sur ses garennes, il prenait de grands cerfs, des biches, des daims et des chevreuils. Comme il n'était pas chiche, il en donnait à ses gens. Il resta avec Tristan dans la cachette souterraine. Grâce à Périnis, le noble écuyer, Tristan recevait des nouvelles de son amie.

Écoutez à présent l'histoire des trois barons (que Dieu les maudisse !). Le roi s'est brouillé avec Tristan par leur faute. Un mois entier ne s'était pas écoulé que le roi Marc partit à la chasse accompagné par les traîtres. Écoutez ce qu'ils font ce jour-là ! Dans une lande, quelque part, les

---

1. L'*adoubement* est la cérémonie au cours de laquelle on remet ses armes au nouveau chevalier. On peut être adoubé à partir de l'âge de quinze ans.

paysans avaient brûlé un essart[1]. Le roi s'arrêta dans le brûlis ; il écoutait les cris de ses braves chiens. Les trois barons s'approchèrent alors et s'adressèrent au roi :

« Sire, écoutez-nous. La reine s'est conduite de manière insensée et elle ne s'est jamais justifiée. On vous le reproche comme une lâcheté. Les barons de votre royaume vous ont présenté plus d'une requête à ce sujet. Ils veulent qu'elle fasse la preuve qu'elle n'a jamais eu de liaison amoureuse avec Tristan. Elle doit se disculper et prouver qu'on ment. Obligez-la à subir un procès ! Demandez-lui tout à l'heure, en privé, au moment de vous coucher ! Si elle refuse de se justifier, faites-lui quitter votre royaume ! »

À ces mots, le roi rougit :

« Par Dieu, seigneurs de Cornouailles, cela fait longtemps que vous ne cessez de la dénoncer. Je l'entends accusée d'une affaire qui aurait bien pu en rester là. Dites franchement si vous voulez que la reine retourne en Irlande. Est-ce que chacun de vous le demande ? Tristan ne s'est-il pas proposé de la défendre ? Mais vous n'avez pas osé prendre les armes contre lui. C'est à cause de vous qu'il est exilé. Vous m'avez bel et bien trompé. Je l'ai chassé et maintenant je devrais chasser ma femme ? Cent fois maudite soit la bouche qui m'a demandé son départ ! Par saint Étienne le martyr, vous avez des exigences exorbitantes, cela m'ennuie. Votre silence m'aurait étonné ! Tristan est peut-être coupable mais il est dans l'anxiété. Vous ne vous souciez pas de ma tranquillité. Avec vous, je ne peux jamais être en paix. Par saint Trémeur de Carhaix, je vais vous mettre devant un dilemme : avant que mardi ne soit passé (c'est aujourd'hui lundi !), vous le connaîtrez ! »

---

1. Un *essart* est un lieu défriché où l'on a abattu les arbres et détruit les ronces afin de rendre cet espace cultivable. On y pratique le brûlis pour préparer le terrain à la culture.

Le roi les a tellement effrayés qu'ils n'ont d'autre parti que la fuite. Marc ajoute :

« Que Dieu vous anéantisse, vous qui voulez ma honte ! Assurément, cela ne vous rapportera rien. Je rappellerai celui que vous avez fait fuir. »

Voyant la colère du roi, les trois barons mettent pied à terre dans la lande sur un terrain en friche. Ils laissent le roi tout à son courroux dans les champs et se disent entre eux :

« Que pouvons-nous faire ? Le roi est trop lâche. Bientôt, il fera revenir son neveu. Paroles données ni vœux n'y feront rien. Si Tristan revient ici, notre dernière heure arrivera. S'il rencontre l'un de nous trois en forêt ou sur un chemin, il le saignera à blanc. Disons au roi que désormais il aura la paix et que nous ne lui adresserons plus jamais la parole. »

Le roi était resté au milieu de l'essart. Ils s'approchèrent de lui mais il les renvoya aussitôt. Il ne se souciait plus de leur discours. Par la loi qui lui vient de Dieu, il jure silencieusement entre ses dents : c'est pour leur malheur qu'ils ont osé lui parler. Si la force avait été de son côté, il les aurait, pensait-il, arrêté tous les trois.

« Sire, font-ils, écoutez-nous ! Vous êtes contrarié et courroucé parce que nous parlons de choses qui touchent à votre réputation. Il est de règle de conseiller son seigneur et vous nous en voulez pour cela. Maudit soit celui qui vous hait ! Maudit soit tout ce qui se trouve sous son baudrier ! C'est pour son malheur qu'il s'affligera avec vous ! Celui-là devra s'en aller ! Mais nous qui faisons partie de vos fidèles, nous vous avons donné un conseil loyal. Puisque vous ne voulez pas le suivre, agissez selon votre guise. Désormais, nous nous tairons. Pardonnez-nous de vous avoir déplu ! »

Le roi écoute, sans souffler mot. Il s'est accoudé sur son arçon. Sans se retourner, il dit :

« Seigneurs, il n'y a pas très longtemps que vous avez entendu le défi lancé par mon neveu pour défendre l'innocence de mon épouse. Vous n'avez pas voulu prendre votre bouclier car vous cherchez toujours à esquiver le combat. Je vous interdis désormais de vous battre. À présent, quittez mes terres ! Par saint André que l'on va prier outre-mer jusqu'en Écosse, vous m'avez fait au cœur une blessure qui ne guérira pas d'ici un an. À cause de vous, j'ai chassé Tristan ! »

Devant lui s'avancent les trois félons : Godoïne[1], Ganelon et le perfide Denoalain. À eux trois, ils s'adressèrent au roi mais ne purent obtenir la discussion qu'ils souhaitaient. Le roi s'en va sans plus tarder. Furieux, ils quittent Marc. Ils ont des châteaux forts bien entourés de palissades et bien installés sur le roc en haut de montagnes. Ils chercheront des ennuis à leur seigneur si l'affaire ne s'arrange pas.

Le roi ne perd pas de temps ; il n'attend ni chiens, ni veneurs. Il descend de cheval devant sa tour à Tintagel[2] et rentre. Nul ne sait ni ne voit qu'il est là. L'épée au côté, il pénètre dans ses appartements. Yseut se lève en le voyant entrer. Elle se dirige vers lui, lui ôte son épée et s'assied à ses pieds. Il lui prend la main et la relève. La reine le salue de la tête et lève les yeux vers son visage. Elle y perçoit un air cruel et féroce ; elle remarque qu'il est contrarié et qu'il

---

1. Godoïne *(Godwin)* est un nom célèbre dans l'histoire anglaise. Il fut porté par un souverain mort en 1053. Cet important personnage fut exilé par les Normands qui entouraient Édouard le Confesseur car il incarnait le sentiment national anglais contre les envahisseurs continentaux. Il devint le modèle du traître après la conquête de Guillaume le Conquérant. En donnant ce nom à un traître, Béroul s'adresse visiblement à un public anglo-normand.   **2.** Au début, Marc est à Lantien. Ici il est à Tintagel. Ce n'est ni une incohérence ni la preuve que l'œuvre est due à deux auteurs. Marc, comme Arthur, a plusieurs résidences. La royauté est itinérante.

est venu sans escorte. « Hélas, se dit-elle, mon ami est découvert, mon époux l'a arrêté ! »

Elle murmure cela entre ses dents. Si loin fût-il, le sang lui monte au visage. Son cœur se glace dans sa poitrine. Elle tombe à la renverse devant le roi, s'évanouit et devient blême. (...) qu'il la relève entre ses bras, lui donne un baiser et l'enlace. Il craint qu'un mal l'ait frappée. Quand elle revient de sa pâmoison, il dit :

« Ma tendre amie, qu'avez-vous ?

— Sire, j'ai peur.

— Ne craignez rien ! »

Quand elle l'entend la rassurer, ses couleurs lui reviennent et elle retrouve son sang-froid. La voilà soulagée. Elle parle habilement au roi :

« Sire, je vois à votre mine que les veneurs vous ont contrarié. Il ne faut pas vous mettre dans cet état pour une chasse. »

Le roi l'entend, il sourit et l'embrasse.

« Amie, lui dit-il, depuis longtemps, trois félons détestent mon sens de la conciliation. Si dès maintenant je ne les démens pas en les expulsant de mon royaume, les traîtres ne craindront pas la guerre que je peux soutenir contre eux. Ils m'ont suffisamment mis à l'épreuve et je me suis trop rangé à leur avis. Il n'est plus question de revenir sur ma décision. À cause de leurs bavardages et de leurs mensonges, j'ai chassé mon neveu. Traiter avec eux ne m'intéresse plus. Bientôt, Tristan reviendra et il me vengera de ces trois traîtres. Il les fera pendre. »

La reine l'écouta. Elle aurait bien parlé haut mais elle n'osa pas. Elle eut la sagesse d'y renoncer :

« Dieu a fait un miracle : mon mari s'est fâché contre ceux qui ont soulevé le scandale. Je prie Dieu qu'ils soient couverts de honte. »

Elle murmure cela pour que personne ne l'entende. La

belle Yseut qui savait s'exprimer dit au roi très simplement :

« Sire, quel mal ont-ils dit sur moi ? Chacun peut dire
ce qu'il pense. À l'exception de vous, je n'ai personne
pour me défendre. C'est pour cela qu'ils cherchent à me
nuire. Puisse Dieu, notre Père en esprit, leur infliger une
malédiction exemplaire ! Ils m'ont si souvent fait trem-
bler !

— Dame, fait le roi, écoutez-moi ! Trois des barons
que j'estimais le plus m'ont quitté avec fureur.

— Sire, pourquoi ? Pour quelle raison ?

— Ils veulent vous blâmer.

— Sire, à quel sujet ?

— Je vais vous le dire, répondit le roi. Vous ne vous
êtes pas disculpée à propos de Tristan.

— Et si je le fais ?

— Et ils m'ont dit (...) car ils me l'ont dit.

— Je suis prête à le faire.

— Quand le ferez-vous ?

— Aujourd'hui même !

— C'est un bref délai.

— Encore trop long pourtant ! Sire, par Dieu et tous
ses noms, écoutez-moi bien et conseillez-moi ! Qu'est-
ce que cela veut dire ? Je m'étonne qu'ils ne me laissent pas un moment tranquille ! Que Dieu m'apporte
son secours, jamais je ne leur ferai d'autre serment de
justification que celui que j'aurai choisi moi-même. Si
je prêtais serment devant eux, sire, à votre cour, devant
vos gens, avant trois jours, ils exigeraient une autre
justification. Dans ce pays, sire, je n'ai aucun parent
qui, pour cautionner mes dires, pourrait provoquer une
guerre ou une révolte. Pourtant, cela m'arrangerait
bien ! Je n'ai cure de leurs radotages. S'ils réclament
un serment de ma part ou s'ils veulent une épreuve
judiciaire, ils n'en exigeront pas de si pénible (qu'ils

en fixent eux-mêmes la date !) que je ne m'y soumette. Au jour fixé, j'aurai fait venir le roi Arthur et sa suite. Si je me suis disculpée devant lui et qu'ensuite on veuille encore me calomnier, ceux qui auront assisté à la procédure seront prêts à me disculper, que ce soit contre un Cornouaillais ou un Saxon. Voilà pourquoi, il me plaît qu'ils soient présents et qu'ils me voient, de leurs propres yeux, soutenir ma défense. Si le roi Arthur est là avec son neveu, le très courtois Gauvain, avec Girflet et le sénéchal Keu, le roi a bien cent vassaux qui ne mentiront sur rien de ce qu'ils auront entendu mais qui se battront pour moi contre les calomnies. C'est pour cette raison, sire, qu'il convient d'établir mon bon droit devant eux. Les Cornouaillais sont médisants et tricheurs à plus d'un titre. Fixez une date et demandez à tout le monde, aux pauvres et aux riches, de se trouver à la Blanche Lande ! Faites proclamer que vous confisquerez l'héritage de ceux qui ne viendront pas. Ainsi, vous serez quitte envers eux. Moi-même, je suis certaine que le roi Arthur viendra dès qu'il recevra mon message. Je connais ses sentiments depuis longtemps.

— Vous avez bien parlé », répondit le roi.

Alors on proclame dans tout le pays la date du jugement, fixée à quinze jours. Le roi avertit les trois barons qui ont quitté la cour de mauvaise humeur. Ils en sont satisfaits, quoi qu'il arrive. À présent, tout le monde connaît dans le pays la date fixée pour l'audience. On sait également que le roi Arthur sera présent avec la plupart des chevaliers de sa maison.

Yseut ne perd pas de temps. Par l'intermédiaire de Périnis, elle fait connaître à Tristan toutes les peines et les souffrances qu'elle a endurées pour lui cette année. Qu'on lui en sache gré à présent ! Il peut, s'il le veut, la rendre intouchable.

« Dis-lui de se rappeler le marécage, près du pont de planches, au Mal Pas[1]. Un jour, j'y ai moi-même souillé mes vêtements. Qu'il se trouve sur la butte, au bout de la passerelle, un peu en deçà de la Blanche Lande, et qu'il soit déguisé en lépreux. Qu'il apporte un gobelet de bois avec une gourde attachée en dessous grâce à une courroie. Qu'il tienne une béquille de l'autre main et qu'il apprenne en quoi consiste la ruse. Au moment opportun, il sera assis sur la butte, le visage tuméfié. Qu'il tende le gobelet devant lui et qu'il demande simplement l'aumône à tous les passants. Ils lui donneront or et argent. Qu'il conserve cet argent, jusqu'à ce que je le voie en privé, dans ma chambre.

— Dame, par ma foi, lui dit Périnis, je lui confierai ce secret. »

Périnis quitta la reine et entra dans la forêt, en traversant les taillis. Il pénétra seul dans les bois. Dans la soirée, il arriva à la cachette de Tristan, dans la grande cave. Ils venaient de sortir de table. Tristan était heureux de sa venue. Il savait bien que le brave garçon lui apportait des nouvelles de son amie.

Tous deux se prirent par la main et s'assirent sur un siège élevé. Périnis lui transmit intégralement le message de la reine. Tristan se pencha légèrement vers le sol et jura par tout ce qui était en son pouvoir : les félons ont eu le malheur de penser à mal, il leur en coûtera la tête, c'est inévitable, ils seront pendus haut et court.

« Dis à la reine, mot pour mot, que je serai au rendez-vous et qu'elle n'en doute pas. Qu'elle se réjouisse, reprenne confiance et courage ! Je ne prendrai pas de bain chaud tant que mon épée ne l'aura pas vengée de ceux qui lui ont fait du mal. Ce sont de fieffés traîtres. Dis-lui

---

1. Ce site existe toujours : c'est le *Mal Pas ferry*. Anciennement, il devait s'agir d'un gué au confluent des rivières de Tressillian et de Truro.

que j'ai trouvé ce qu'il faut pour la sauver des consé-
quences du serment. Je la verrai sous peu. Va et dis-lui
de ne pas s'inquiéter. Elle peut être sûre que j'irai au
procès, déguisé en gueux. Le roi Arthur m'apercevra parfaitement, installé devant le Mal Pas, mais il ne me recon-
naîtra pas. Je conserverai son aumône, si je peux
l'obtenir. Tu peux rapporter à la reine ce que je t'ai dit
dans le souterrain en pierre qu'elle a fait aménager.
Transmets-lui de ma part plus de saluts qu'il n'y a de
petits bourgeons sur un arbre de mai.

— Je le ferai », répondit Périnis.

Il s'apprêtait à sortir en montant les marches :

« Je vais chez le roi Arthur, cher seigneur. Je dois lui
transmettre ce message : qu'il vienne écouter le serment
avec cent chevaliers qui pourront ensuite se porter garants
de la reine, au cas où les félons grogneraient à propos de
quoi que ce soit contre une dame de toute loyauté. N'est-
ce pas bien ainsi ?

— Que Dieu t'accompagne ! »

Il gravit les marches à la file, enfourche son coursier et
s'en va. Il ne cessera d'éperonner jusqu'à Carlion. Il se donnait bien du mal pour rendre service et mériterait une récompense appropriée. Il s'informe tellement sur le roi qu'on lui
donne de bien bonnes nouvelles. Arthur se trouve à Isneldo-
ne [1]. Le page d'Yseut la belle prit la route qui y conduisait.
À un pâtre qui jouait du chalumeau, il demanda :

« Où est le roi ?

— Seigneur, fait-il, il est à table. Vous verrez la Table
Ronde qui est circulaire comme l'univers [2]. Ses chevaliers
y siègent.

---

1. Stirling au nord-ouest de Glasgow ou Segontium au pied du
Snowdon (pays de Galles) ?　　2. Autre traduction : la Table Ronde
« tourne » comme les sphères célestes. La Table Ronde avait été établie
pour éviter toutes les querelles de préséance entre les chevaliers d'Arthur. Chacun y siège à égalité avec les autres.

— J'y vais », dit Périnis.

Le jeune homme descend de cheval près du perron et entre aussitôt. Il y avait là beaucoup de fils de comtes et de riches vavasseurs[1] qui accomplissaient tous leur service pour être adoubés. L'un d'eux quitta l'assemblée comme s'il s'enfuyait. Il s'approcha du roi qui l'interpella :

« Eh, d'où viens-tu ?

— J'apporte une nouvelle. Il y a dehors un cavalier qui veut à tout prix vous rencontrer. »

Alors arrive Périnis. Plus d'un noble le regarde. Il s'avance devant le roi, vers l'estrade, où sont assis également tous les barons. Le jeune homme parle d'une voix ferme :

« Que Dieu sauve le roi Arthur, dit-il, ainsi que toute sa compagnie, de par Yseut la belle son amie ! »

Le roi se lève de table :

« Que le Dieu du ciel, fait-il, la protège et la garde ainsi que toi, mon ami ! Dieu, dit le roi, cela fait si longtemps que j'attends d'elle ne serait-ce qu'un seul message ! Jeune homme, devant tous mes barons ici présents, je lui accorde tout ce que tu me demandes. Toi et deux autres, vous serez adoubés à l'occasion du message de la plus belle qui soit d'ici jusqu'à Tudèle[2] !

— Sire, fait-il, je vous remercie. Écoutez pourquoi je suis venu ici. Que ces barons m'écoutent et tout spécialement messire Gauvain[3]. La reine s'est réconciliée avec son époux, on le sait. Tous les barons du royaume, sire, ont assisté à la réconciliation. Tristan proposa un duel judiciaire pour disculper la reine et prouver sa loyauté

---

1. Un *vavasseur* est le vassal d'un vassal. C'est le plus petit grade dans la hiérarchie nobiliaire.   2. Cette ville de Navarre sur l'Èbre avait été reprise en 1126 sur les Maures.   3. Neveu du roi Arthur. Il est un modèle de courtoisie et particulièrement attentif au sort des dames et des demoiselles.

devant le roi. Pourtant, personne ne voulut prendre les armes pour contester cette loyauté. Maintenant, sire, on laisse entendre au roi Marc qu'il doit exiger un serment de la reine. Il n'existe, à la cour du roi, pas un seul homme libre, Français ou Saxon, qui appartienne au lignage d'Yseut. J'ai entendu dire qu'il nage avec facilité celui dont on soutient le menton. Sire, si je mens à ce propos, traitez-moi de mauvaise langue. Le roi n'a pas une attitude très claire, il balance d'un côté ou de l'autre. La belle Yseut lui a répondu qu'elle se justifierait envers vous, devant le Gué Aventureux. Comme elle est votre chère amie, elle vous demande et vous implore d'y être, au jour dit, avec cent de vos amis. Une fois qu'elle se sera disculpée devant vous (fasse le ciel qu'elle n'échoue pas !), que votre cour et votre suite fassent preuve d'une loyauté telle qu'elles deviennent ensuite ses garantes et qu'elles ne lui fassent défaut en aucune manière. L'épreuve aura lieu d'ici huit jours. »

Ces paroles leur font verser de grosses larmes. Tout le monde a le visage baigné de pleurs compatissants.

« Dieu, s'exclame chacun, que d'exigences ! Le roi fait tout ce qu'ils ordonnent et Tristan quitte le pays. Qu'il n'entre jamais au paradis, celui qui n'ira pas là-bas, si le roi l'exige, et celui qui ne l'aidera pas comme il convient ! »

Gauvain se leva et tint le discours qu'il fallait :

« Mon oncle, avec votre permission, l'épreuve qui a été fixée se terminera mal pour les trois félons. Ganelon est le plus perfide. Moi, je le connais bien et lui me connaît. Un jour, je l'ai précipité dans la boue, au cours d'un grand tournoi particulièrement violent. Si je l'attrape, par saint Riquier [1], Tristan n'aura pas besoin de

---

1. Saint Riquier, très honoré dans la région de Rouen, est un des saints patrons des avocats.

venir. Si je pouvais l'empoigner, je lui ferais son affaire et je m'arrangerais pour le pendre sur un mont élevé. »

Girflet se lève après Gauvain et ils s'avancent main dans la main.

« Sire, cela fait longtemps que Denoalain, Godoïne et Ganelon détestent la reine. Que Dieu m'ôte le sens et que je n'embrasse plus de belles dames sous le manteau, derrière la courtine si, après avoir rencontré Godoïne, le tranchant de ma lance de frêne ne le transperce pas ! »

À ces mots, Périnis incline la tête. Yvain, le fils d'Urien, prend la parole :

« Je connais bien Denoalain. Il ne cherche qu'à dénoncer et sait bien manier le roi ; je ferai en sorte qu'il me prenne au sérieux. Si je le rencontre sur mon chemin, comme cela m'est déjà arrivé une fois, ni foi ni loi ne m'empêcheront, s'il a le dessous, de le pendre de mes propres mains. Un félon doit être sévèrement châtié. Le roi est le jouet des calomniateurs. »

Périnis dit à Arthur :

« Sire, je suis certain que les félons prendront une volée de coups pour avoir cherché querelle à la reine. Jamais dans votre cour on n'a menacé un homme d'un royaume lointain sans que vous n'ayez mis vos menaces à exécution. En fin de compte, ceux qui les avaient méritées l'ont payé cher. »

Ces propos firent plaisir au roi qui rougit un peu.

« Jeune homme, allez manger ! Les personnes ici présentes songeront à le venger. »

Le roi ressentait une grande joie dans son cœur. Il dit, pour que Périnis l'entende :

« Nobles et honorables compagnons, pour le jour de l'audience, faites en sorte d'avoir des chevaux en forme, des écus neufs et de somptueux vêtements. Nous jouterons devant la belle dont vous venez d'entendre le message. Il aura raison d'accorder peu de prix à la vie celui qui hésitera à prendre ses armes. »

Le roi les a tous convoqués. Ils regrettent que le rendez-vous soit encore lointain. Ils voudraient que ce soit le lendemain.

Écoutez ce qu'il en est du jeune homme de bonne naissance ! Périnis demande son congé. Le roi enfourche Passelande[1] car il veut escorter le jeune page. En chemin, ils se parlent et tous leurs propos concernent la belle qui fera rompre bien des lances. Avant de clore leur entretien, le roi offre à Périnis tout l'équipement du chevalier, qui ne veut pas encore l'accepter.

Le roi l'accompagne sur un bout de chemin pour l'amour de la noble dame aux cheveux blonds qui ignore la méchanceté. Ils parlaient beaucoup d'elle en cheminant. Le jeune page avait une belle escorte avec le noble roi et ses chevaliers. Ils se quittent à regret. Le roi lui crie :

« Bel ami, partez et ne tardez pas. Saluez votre dame de la part de son fidèle serviteur qui viendra lui apporter la paix ! Je ferai tout ce qu'elle souhaite. Je lui suis tout dévoué. Elle pourra fortement accroître mon mérite. Rappelez-lui le fer de lance qui s'enfonça dans le poteau. Elle saura parfaitement où cela s'est passé[2]. Je vous prie de lui rapporter ces propos.

— Sire, je le ferai, je vous le promets. »

Il éperonna son coursier. Le roi revint sur ses pas. Périnis s'en alla. Il avait délivré son message et s'était donné bien du mal pour servir la reine. Il chevaucha le plus vite possible. Pas un jour il ne se reposa avant le terme de son voyage. Il raconta sa chevauchée à celle qui s'en réjouit et il parla du roi Arthur et de Tristan.

Cette nuit-là, ils se trouvaient à Lidan. La lune était à

---

1. C'est le nom du cheval d'Arthur.   2. Allusion à un épisode qui se trouve dans la version allemande d'Eilhart.

son dixième jour. Que dire d'autre ? Le jour du procès approche pour la reine. Tristan, son ami, s'active. Il avait revêtu de curieux vêtements. Il portait un habit de laine, sans chemise ; sa tunique était en bure grossière et ses bottes étaient rapiécées. Il s'était fait tailler un manteau de bure grossière, tout noirci de fumée. Il s'était fort bien déguisé et ressemblait parfaitement à un lépreux. Néanmoins, il avait gardé son épée, étroitement nouée à sa ceinture. Tristan s'en alla ; il quitta secrètement son logis avec Gouvernal. Celui-ci lui fit des recommandations :

« Seigneur Tristan, ne faites pas l'idiot. Prenez garde à la reine car elle ne fera aucun signe.

— Maître, fait-il, je ferai attention. Veillez à bien me servir. Je crains fort d'être reconnu. Prenez mon écu et ma lance, apportez-les-moi et harnachez mon cheval, maître Gouvernal. En cas de besoin, trouvez-vous près du gué, prêt à intervenir, mais restez caché. Vous savez bien de quel gué il s'agit car cela fait longtemps que vous le connaissez. Le cheval est blanc comme lis. Couvrez-le complètement afin qu'on ne le reconnaisse pas et que personne ne l'aperçoive. Le roi Arthur sera présent avec tous ses gens, ainsi que le roi Marc. Tous ces chevaliers venus de loin jouteront pour conquérir la gloire. Pour l'amour de mon amie Yseut, je tenterai bientôt un exploit. Qu'à ma lance soit fixé le pennon[1] dont la belle m'a fait cadeau. Maître, allez-y maintenant mais je vous prie d'agir prudemment. »

Tristan prit son gobelet et sa béquille, demanda et obtint son congé. Gouvernal se rendit à son logis, prit l'équipement, rien d'autre, puis se mit en route. Il s'efforçait de rester incognito. Après avoir bien cheminé, il finit par s'embusquer près de Tristan qui se trouvait au Mal Pas.

---

1. Le *pennon* est un petit fanion porté au bout d'une lance en signe de connivence entre une dame et son chevalier.

Tristan s'assied sans autre précaution sur la butte qui se trouve au bout du marécage. Devant lui, il plante son bâton attaché à une cordelette entourant son cou. Autour de lui, il y a des fondrières très meubles. Il s'installe soigneusement sur la butte. Il ne ressemblait pas du tout à un infirme car il était fort et robuste. Il n'était ni nain, ni difforme, ni bossu. Il entend la compagnie qui arrive, il s'assied. Il avait très bien fait boursoufler son visage. Lorsque quelqu'un passait devant lui, il lui criait d'un air plaintif :

« Pauvre de moi ! Je ne pensais pas devenir mendiant ni être réduit un jour à cette extrémité mais maintenant impossible de faire autre chose ! »

Tristan fait sortir l'argent de leurs bourses car il s'y prend tellement bien que chacun lui en donne. Il reçoit leurs dons sans que personne ne trouve à redire. Tel qui a été maquereau pendant sept ans ne sait pas aussi bien extorquer de l'argent. Même aux courriers à pied et aux garçons les plus mal famés qui cherchent leur pitance sur la route, Tristan, la tête baissée, demande l'aumône au nom du Seigneur. Les uns lui donnent, d'autres le battent. Les fripons de valets, les marauds l'appellent « maquereau » et « vaurien ».

Tristan écoute sans souffler mot. Je leur pardonne, se dit-il, par amour pour Dieu. Les corbeaux pleins de rage le maltraitent et il garde son calme. Ils le traitent de truand et de vaurien. Il les poursuit avec sa béquille ; il en fait saigner plus de quatorze, à un point tel qu'ils ne peuvent même pas étancher leur sang. Les pages bien nés lui donnent un ferlin ou une maille sterling [1] qu'il accepte. Il leur dit qu'il boira à la santé de tous car une telle fournaise brûle dans son corps qu'il ne peut guère l'extirper.

---

1. Le ferlin (en anglais *farthing*) équivalait au quart d'un denier. Le sou de *sterling* est également une unité monétaire anglaise. Béroul s'adressait certainement à un auditoire anglais.

Tous ceux qui l'entendent parler de la sorte pleurent de pitié. Pas un parmi eux ne doute qu'il s'agit d'un vrai lépreux.

Valets et écuyers pensent qu'ils doivent se dépêcher de trouver un logis et de dresser les tentes de leurs seigneurs, des pavillons aux multiples couleurs. Il n'est pas de puissant seigneur qui n'ait ici sa tente.

À vive allure, par chemins et sentiers, les chevaliers arrivent à leur tour. Il y a une très grande foule dans ce marécage. Les passages successifs ramollissent encore la boue. Les chevaux s'y enfoncent jusqu'aux flancs. Beaucoup s'y enlisent, s'en sort qui peut. Tristan s'en amuse et ne s'émeut nullement. Au contraire, il leur dit à tous :

« Tenez bien vos rênes par les nœuds et piquez des deux [1] ! Par Dieu, piquez des deux car il n'y a pas de bourbier devant vous ! »

Ils ont à peine tâté le terrain que le marais fond sous leurs pieds. Tous ceux qui y passent s'embourbent et celui qui n'a pas de bottes est bien démuni. Le ladre [2] tend la main. Quand il voit quelqu'un se dépêtrer dans la boue, il agite ardemment sa crécelle. Quand il le voit s'enfoncer davantage, le lépreux s'écrie :

« Pensez à moi afin que Dieu vous tire du Mal Pas ! Aidez-moi à me procurer de nouveaux habits ! »

Avec la gourde, il frappe sur le gobelet. C'est un curieux endroit pour demander l'aumône mais il agit par espièglerie, afin que son amie, Yseut aux cheveux blonds, éprouve de la joie en son cœur lorsqu'elle le verra passer. Il y a un grand tumulte dans ce Mal Pas. Quiconque passe salit ses vêtements. De loin, on peut entendre les cris de ceux que le marais a souillés. Parmi tous ceux qui passent à cet endroit, aucun n'est assuré de s'en sortir.

---

1. Expression de la langue de l'équitation : « éperonnez ».   **2.** *Ladre* désigne le lépreux. Le mot dérive du nom de Lazare, un lépreux de l'Évangile.

Voici qu'arrive le roi Arthur. Il vient examiner le passage avec plusieurs de ses barons. Ils craignent que le marais cède sous leurs pieds. Tous ceux de la Table Ronde arrivent au Mal Pas avec des écus neufs, des chevaux en forme. Chacun portait des armoiries différentes. Tous étaient équipés de pied en cap. On arborait mainte étoffe de soie. Ils joutèrent devant le gué. Tristan connaissait parfaitement le roi Arthur. Il lui cria :

« Sire Arthur, je suis malade, tuméfié, lépreux, infirme et faible. Mon père est pauvre, jamais il n'a possédé de terres. Je suis venu ici demander l'aumône. J'ai entendu dire beaucoup de bien sur toi. Tu ne dois pas me rejeter. Tu es habillé d'un beau drap gris de Ratisbonne, je pense. Sous la toile de Reims, ta chair est blanche et lisse. Je vois que tes jambes portent des chausses de riche brocart avec des mailles vertes et des guêtres d'écarlate. Roi Arthur, vois-tu comme je me gratte ? J'ai toujours très froid, même quand tout le monde a chaud. Pour l'amour de Dieu, donne-moi ces guêtres. »

Le noble roi éprouve de la pitié pour lui. Deux jeunes pages le déchaussent. Le lépreux prend les guêtres et les emporte bien vite. Il se rassied sur la butte. Le lépreux n'épargne aucun de ceux qui passent devant lui. Il reçoit une grande quantité de beaux vêtements ainsi que les guêtres du roi Arthur. Tristan s'assied de manière à surplomber le marécage. À peine Tristan est-il installé que le roi Marc, fier et conquérant, chevauche rapidement vers le bourbier. Tristan l'entreprend pour savoir s'il pourra obtenir quelque 'chose de lui. Il agite très fort sa crécelle. De sa voix rauque, il lui crie péniblement, en faisant siffler son haleine par le nez : « Pour Dieu, roi Marc, la charité ! »

Marc retire son aumusse [1] et lui dit :

---

1. Bonnet de fourrure.

« Tiens, frère, mets-la sur ta tête ! Les intempéries t'ont souvent fait souffrir.

— Sire, fait-il, je vous remercie ! Maintenant, vous m'avez mis à l'abri du froid ! »

Il mit l'aumusse sous son manteau, en la dissimulant de son mieux.

« D'où es-tu, lépreux ? fait le roi.

— De Carlion[1], je suis fils d'un Gallois.

— Depuis combien de temps vis-tu retiré du monde ?

— Sire, cela fait trois ans, sans mentir. Tant que j'étais en bonne santé, j'avais une amie courtoise. C'est à cause d'elle que j'ai le visage tuméfié. C'est elle qui me fait agiter nuit et jour cette crécelle en bois poli et qui m'oblige à casser les oreilles des gens dont je sollicite l'aumône pour l'amour de Dieu, le Créateur. »

Le roi lui dit : « Ne me cache rien, comment est-ce que ton amie t'a donné cela ?

— Sire, son mari était lépreux. Je prenais du bon temps avec elle ; ce mal a résulté de nos ébats. Mais une seule femme est plus belle qu'elle.

— Qui est-ce ?

— La belle Yseut. Elle s'habille exactement de la même façon ! »

À ces mots, le roi Marc repartit en riant. Arthur qui participait à des joutes arrivait de l'autre côté. Il s'amusait on ne peut mieux. Arthur demanda des nouvelles de la reine.

« Elle arrive par la forêt, répondit Marc. Sire, elle vient avec Andret qui se charge de la conduire. »

L'un disait à l'autre :

« Je ne vois pas comment elle va traverser le Mal Pas. Restons ici et observons ! »

Les trois félons (que le feu de l'Enfer les brûle !) arri-

---

1. Carleon upon Usk (pays de Galles), région dont Tristan est effectivement natif.

vèrent au gué et demandèrent au lépreux par où étaient passés ceux qui s'étaient le moins enlisés. Tristan leva sa béquille et leur indiqua un grand terrain mou :

« Voyez-vous cette tourbière derrière ce bourbier, voilà la bonne direction. J'ai vu plusieurs personnes passer par là. »

Les félons pénètrent dans la fange, à l'endroit indiqué par le lépreux. Ils trouvent une incroyable quantité de vase. Tous les trois s'y enfoncent, comme un seul homme, jusqu'à l'aube[1] de leur selle. Sur la butte, le lépreux leur crie :

« Piquez ferme si vous êtes salis par la boue. Allez, seigneur, par le saint apôtre, que chacun me donne quelque chose ! »

Les chevaux s'enlisent. Les félons commencent à avoir peur car ils ne touchent ni la rive ni le fond. Les chevaliers qui joutent sur le tertre accourent en hâte. Mais écoutez comme le ladre sait bien mentir !

« Seigneurs, dit-il aux trois barons, tenez-vous bien à vos arçons. Maudit soit ce marécage qui est si mou ! Ôtez vos manteaux de vos épaules et traversez le marais à la brasse. Je vous affirme, et j'en sais quelque chose, que j'y ai vu des gens passer aujourd'hui. »

Il fallait le voir frapper sur son gobelet ! Quand le lépreux l'agite, il frappe le goulot avec la courroie et, de l'autre main, fait retentir la crécelle.

Mais voici qu'arrive Yseut la belle. Elle voit ses ennemis dans le bourbier et son ami assis sur la butte. Elle ressent une grande joie, elle rit et s'en amuse. Elle met pied à terre sur la falaise. De l'autre côté se trouvent les deux rois et les barons qui les accompagnent. Ils regardent les trois hommes embourbés renversés sur le flanc ou barbotant sur le ventre. Le lépreux les exhorte :

---

1. Il s'agit d'une bande de fer ou d'une planchette qui relie les deux arçons de la selle.

« Seigneurs, la reine arrive pour présenter sa défense. Venez écouter le jugement ! »

Bien peu restent indifférents au rire général. Écoutez comment le lépreux, le disgracié, s'adresse à Denoalain !

« Attrape mon bâton et tire-le fortement des deux mains. »

Et il le lui tend aussitôt. Le lépreux lâche le bâton. L'homme tombe à la renverse, il est totalement submergé. On ne voyait plus que ses cheveux sortir de l'eau. Quand on le retira de la fange, le lépreux lui dit :

« Je n'en peux plus. J'ai les nerfs et les articulations engourdis, les mains paralysées par le mal âcre [1], les pieds enflés à cause de la goutte. La maladie m'a ôté mes forces et mes bras sont secs comme de l'écorce. »

Dinas est avec la reine ; il comprend tout et cligne de l'œil au lépreux. Il devine que Tristan se cache sous cette cape et voit les trois félons pris au piège. Cela l'enchante et lui plaît de les voir en si fâcheuse posture. Littéralement martyrisés et brisés, les calomniateurs sortent du bourbier. Assurément, il leur faudra un bain pour les décrasser. Ils se déshabillent devant tout le monde, enlèvent leurs vêtements pour en passer d'autres. Mais écoutez ce qu'il en est du noble Dinas qui se trouve de l'autre côté du Mal Pas !

Il s'adresse à la reine :

« Dame, fait il, ce beau manteau va se trouver fort souillé. Ce terrain est plein de fange couleur rouille. Je serais désolé, et cela me peinerait, de la voir coller à vos vêtements. »

---

1. On traduit parfois cette expression par « le mal d'Acre », c'est-à-dire une épidémie qui aurait sévi chez les Croisés en 1190-1191 à Saint-Jean d'Acre (en Syrie). Le texte de Béroul n'aurait donc pas été composé avant cette date. Il convient toutefois de refuser cet argument de datation car on ne date pas un texte sur la lecture conjecturale d'un mot.

Yseut rit car elle n'est pas peureuse. Elle cligne de l'œil et le regarde. Il comprend ce à quoi la reine pense. Un peu en contrebas, près d'un buisson d'épines, Andret et lui trouvent un gué qu'ils traversent sans trop se salir. Yseut restait seule de l'autre côté de la rive. Devant le gué se trouvait la grande foule des deux rois et de leurs vassaux.

Écoutez comme Yseut est habile ! Elle savait bien que de l'autre côté du Mal Pas, tout le monde la regardait. Elle s'approcha du palefroi, prit les franges de la housse de selle et les noua sur les arçons. Aucun écuyer ni aucun valet n'auraient mieux su les relever et les disposer pour éviter la boue. Elle glissa les sangles sous la selle ; la belle Yseut enleva au palefroi son harnais du poitrail et son mors. Elle tenait sa robe d'une main et son fouet de l'autre. Elle amena le palefroi jusqu'au gué, le frappa d'un coup de fouet et lui fit traverser le marais.

La reine attirait les regards de tous ceux qui se trouvaient sur l'autre rive. Les nobles rois furent stupéfaits ainsi que tous ceux qui assistaient à la scène. La reine portait des vêtements de soie importés de Bagdad et fourrés de blanche hermine. Manteau et tunique avaient une traîne. Ses cheveux tombaient sur ses épaules, tressés avec des rubans en fil d'or. Un cercle d'or lui ceignait la tête et entourait complètement son visage rose, au teint frais et clair. Elle s'avança alors vers la passerelle :

« C'est à toi que je veux avoir affaire !

— Généreuse et noble reine, j'irai vers vous sans me dérober mais je ne vois pas ce que vous voulez dire.

— Je ne veux pas salir mes vêtements. Tu me serviras d'âne et tu me porteras doucement sur cette passerelle.

— Quoi, fait-il, noble reine, ne me demandez pas un service pareil ! Je suis lépreux, couvert de tumeurs et contrefait.

— Vite, fait-elle, mets-toi en place ! Crois-tu que je

vais attraper ton mal ? N'aie crainte, il n'y a aucune chance.

— Ah, Dieu ! pensait Tristan, que va-t-il se passer ? Lui parler ne me fait nullement souffrir. »

Il avance en s'appuyant plusieurs fois sur sa béquille.

« Allons, lépreux, tu es bien solide ! Tourne ton visage par là et ton dos par ici : je monterai sur toi à califourchon. »

Alors, le lépreux sourit, tourne le dos et elle monte sur lui. Tout le monde les regarde, les rois comme les comtes. Le lépreux tient sur ses jambes grâce à sa béquille ; il lève un pied et pose l'autre. Plusieurs fois, il fait semblant de tomber et prend un air de souffrance. La belle Yseut le chevauche, jambe deçà, jambe delà. Les gens se disent :

« Regardez donc (...) voyez la reine chevaucher un lépreux qui sait boiter. Il s'en faut de peu qu'il ne tombe de la planche. Il tient sa béquille sous sa hanche. Allons rejoindre ce lépreux, au bout du marécage ! »

Les jeunes gens y accourent. (...) Le roi Arthur se dirige de ce côté-là et tous les autres à la file. Le lépreux a la tête baissée et touche enfin la terre ferme de l'autre côté. Yseut se laisse glisser à terre.

Le lépreux s'apprête à rebrousser chemin. Au moment de repartir, il demande en échange à la belle Yseut sa subsistance pour le soir. Arthur dit :

« Il l'a bien gagnée. Ah, reine, donnez la lui ! »

La belle Yseut répond au roi :

« Sauf votre respect, ce gueux est robuste, il a ce qu'il lui faut. Il ne mangera pas aujourd'hui tout ce qu'il a. J'ai tâté sa ceinture sous sa chape. Sire, sa gibecière ne diminue pas [1]. J'ai bien senti à travers son sac les demi-pains et les pains entiers, ainsi que les rogatons et les restes. Il a de la nourriture, il est bien vêtu. S'il veut vendre vos

---

1. Le lépreux la remplit sans cesse avec les aumônes qu'on lui fait.

guêtres, il peut bien en tirer cinq sous sterling. En échange de l'aumusse de mon mari, qu'il s'achète un lit. Il peut même se faire berger ou s'acheter un âne pour transporter de la boue [1]. C'est un vaurien, que je sache. Il a obtenu aujourd'hui une bonne pâture ; il a eu le public qu'il voulait. De moi, il n'emportera rien qui vaille, pas un seul ferlin ou une maille. »

Les deux rois s'amusent beaucoup. Ils lui amènent son palefroi, la mettent en selle et s'en vont ailleurs. Ceux qui ont des armes participent à des joutes. Tristan quitte l'assemblée et rejoint son maître qui l'attend. Ce dernier lui amène deux superbes chevaux de Castille avec leur mors et leur selle, deux lances et deux écus. Il les avait rendus parfaitement méconnaissables.

Que vous dire des chevaliers ? Gouvernal s'était mis sur la tête une guimpe [2] de soie blanche et l'on ne voyait de toute façon que ses yeux. Il retourna au pas vers le gué ; il avait un beau cheval bien en chair. Tristan montait Beau Joueur. Il n'en existait pas de meilleur. Il avait recouvert cotte, selle, destrier et bouclier d'une serge noire et il avait voilé son visage de noir. Tout était dissimulé, la tête ainsi que les cheveux. À sa lance, il avait fixé la faveur que sa dame lui avait donnée. Chacun enfourcha son destrier et ceignit son épée d'acier. Ainsi armés sur leurs chevaux, ils traversèrent une verte prairie entre deux vallons puis surgirent sur la Blanche Lande. Gauvain, le neveu d'Arthur, demanda à Girflet :

« Regarde ces deux-là qui arrivent à fond de train. Je ne les connais pas. Sais-tu qui ils sont ?

— Je les connais bien, répond Girflet. Cheval noir et enseigne noire : c'est le Noir de la Montagne. Je recon-

---

1. La boue était utilisée pour les travaux agricoles et particulièrement dans la culture de la vigne.   2. La *guimpe* est un voile de toile fine qui couvre partiellement la tête des femmes.

nais l'autre à ses armes bigarrées car il n'y en a guère dans cette région. Ils sont fées, j'en suis sûr. »

Les deux hommes se détachent de la foule, écus serrés, lances levées, les pennons fixés aux fers. Ils portent si bien leur équipement qu'on croirait qu'ils sont nés avec lui. Le roi Marc et le roi Arthur parlent plus volontiers de ces deux-là que des hommes qui les accompagnent et qui se trouvent là-bas dans la vaste plaine. Les deux se distinguent plus d'une fois dans les rangs et ils attirent les regards de bien des gens.

Ils chevauchent ensemble dans les premiers rangs mais ils ne trouvent aucun équipier[1]. La reine les reconnut parfaitement. Elle se tient avec Brangien un peu à l'écart du rang. Andret arrive sur son destrier en tenant ses armes. La lance levée et l'écu en main, il assaille Tristan de face. Il ne le reconnaît pas mais Tristan, lui, l'a dévisagé. Il le frappe sur l'écu et l'abat au milieu de la piste en lui brisant le bras. L'homme s'écroule aux pieds de la reine sans relever l'échine.

Du côté des tentes, Gouvernal vit venir sur un destrier le forestier qui voulut livrer Tristan à la mort dans la forêt où il dormait profondément. Il se précipite contre lui à toute allure et l'autre est déjà en danger de mort. Il lui enfonce dans le corps son fer tranchant et l'acier transperce le corps de part en part. L'homme tombe mort ; aucun prêtre n'arriva ni ne put arriver à temps. Yseut qui est noble et simple en rit doucement sous sa guimpe. Girflet, Cinglor et Yvain, Taulas, Coris et Gauvain voient maltraiter leurs compagnons :

« Seigneurs, fait Gauvain, qu'allons-nous faire ? Le forestier gît, la bouche béante. Sachez que ces deux-là sont fées. Nous ne les connaissons nullement. Ils nous prennent pour des poltrons. Attaquons-les et capturons-les !

---

1. Certains tournois se déroulaient en équipe.

— Celui qui pourra nous les livrer, dit le roi, nous rendra un fier service. »

Tristan redescend vers le gué avec Gouvernal et ils le traversent. Les autres n'osent pas les suivre ; ils restent figés sur place. Ils croient se trouver en face d'êtres surnaturels. Ils veulent retourner vers leur campement car ils abandonnent les joutes. Arthur chevauche à la droite de la reine. Le chemin lui parut très court (...) qui s'éloignerait à droite de la route.

Ils descendirent de cheval devant leurs tentes. Il y en avait un grand nombre sur la lande et les cordes qui les maintenaient avaient coûté cher. Au lieu de joncs et de roseaux, tous avaient recouvert de fleurs le sol de leurs tentes. Ils arrivaient par routes et sentiers. La Blanche Lande était couverte de tentes. Beaucoup de chevaliers avaient amené leurs amies. Ceux qui se trouvaient sur le pré eurent l'occasion de chasser plus d'un grand cerf.

Ils passent la nuit sur la lande. Chacun des rois se tient à la disposition des quémandeurs. Ceux qui possèdent quelques richesses n'hésitent pas à faire des cadeaux.

Après le repas, le roi Arthur rend une visite de courtoisie au roi Marc et y emmène ses familiers. Peu nombreux sont ceux qui portent des habits de laine ; la plupart sont vêtus de soie. Que dire des vêtements ? Il y en a en laine mais de couleur rouge ; ce drap de laine est de l'écarlate. Les gens bien habillés sont nombreux. Personne n'a jamais vu deux cours plus riches : on ne peut rien souhaiter qui ne soit là.

Dans les pavillons, la joie bat son plein. Ce soir-là, on discute de l'affaire : comment la noble et bonne reine pourra-t-elle se disculper devant les rois et leurs barons ?

Le roi Arthur va se coucher avec ses barons et ses intimes. Celui qui se serait trouvé sur la lande, ce soir-là, aurait entendu résonner maint chalumeau et mainte trompe dans les tentes. Avant l'aube, le tonnerre gronda,

sans doute à cause de la chaleur. Les sentinelles cornent
le jour. Partout on commence à se lever et tout le monde
le fait sans tarder. Dès l'heure de prime[1] le soleil était
chaud. La brume et la fraîcheur matinale avaient disparu.

Devant les tentes des deux rois, s'assemblèrent les Cornouaillais. Aucun chevalier du royaume n'avait négligé
d'amener sa femme avec lui. Un tapis de soie et de brocart gris fut placé devant la tente du roi. Il était finement
brodé de figurines d'animaux. On l'étendit sur l'herbe
verte. Le drap avait été acheté à Nicée. Il n'existait pas
de reliques en Cornouailles, dans des trésors ou des phy-
lactères[2], dans des armoires ou dans des coffres, dans des
reliquaires, des écrins ou des châsses, dans des croix d'or,
d'argent ou dans une masse[3], qui ne furent placées sur le
brocart, rangées et disposées dans l'ordre.

Les rois se tiennent à l'écart. Ils veulent rendre un jugement équitable. Très impatient de parler, le roi Arthur
prend la parole le premier :

« Roi Marc, celui qui vous a conseillé une telle infamie
a commis une lourde erreur. À coup sûr, fait-il, cet
homme-là est perfide. Vous êtes fort influençable ! Vous
ne devez pas vous fier à des mensonges. Il vous oblige à
vous faire du mauvais sang, celui qui vous a fait réunir
cette assemblée. Cela devrait lui coûter cher et bien des
ennuis d'avoir voulu une chose pareille. La noble et
bonne Yseut ne souhaite aucun délai ni sursis. Que ceux
qui viendront écouter sa justification sachent avec certitude que je les ferai pendre si, par haine, ils accusent
encore son inconduite. Ils mériteront la mort. Écoutez
donc, sire, quel est celui qui sera dans son tort ! La reine
s'avancera pour que les humbles et les grands la voient
et elle jurera devant le Roi des cieux, la main droite sur
les reliques, qu'elle n'a jamais eu de relations amoureuses

---

1. Six heures du matin.   **2.** Reliquaire en forme de croix.   **3.** Sorte
de reliquaire.

avec votre neveu (des relations partagées ou non que l'on puisse mal interpréter), et qu'elle n'a jamais succombé à la débauche. Seigneur Marc, cela n'a que trop duré. Une fois qu'elle aura juré de cette manière, dites à vos barons qu'ils la laissent tranquille.

— Ah, sire Arthur, qu'y puis-je ? Vous me blâmez et vous avez raison car celui qui croit les jaloux est un insensé. Je les ai écoutés malgré moi. Si elle est innocentée sur cette prairie, toute personne téméraire qui osera, après la justification, tenir des propos malveillants aura la récompense qu'elle mérite. Sachez ceci, noble roi Arthur, ce qui a été fait, l'a été malgré moi. Qu'ils prennent garde désormais ! »

L'entretien cesse sur ces propos. Tout le monde s'assoit en rang, sauf les deux rois. Il y avait une raison à cela : ils tenaient Yseut par la main entre eux deux. Gauvain se trouvait près des reliques. La maison d'Arthur, si prestigieuse, était rangée autour du drap de soie. Arthur qui était le plus près d'Yseut prit la parole :

« Écoutez-moi, Yseut la belle, voici la déclaration qu'on attend de vous : que Tristan n'a éprouvé pour vous aucun amour honteux ou vil, si ce n'est celui qu'il doit à son oncle et à l'épouse de celui-ci.

— Seigneurs, fait-elle, par la grâce de Dieu, je vois ici les saintes reliques. Écoutez donc ce que je jure et ce dont j'assure le roi ici présent : avec l'aide de Dieu et de saint Hilaire, je jure sur ces reliques et cette châsse, sur toutes les reliques qui ne sont pas ici et celles de par le monde, que jamais un homme n'est entré entre mes cuisses, sauf le lépreux qui se fit bête de somme pour me faire traverser le gué et le roi Marc mon époux. J'exclus ces deux-là de mon serment mais je n'en exclus pas d'autre. Mon serment n'est pas valable pour deux personnes : le lépreux et le roi Marc mon époux. Le lépreux se trouva entre mes jambes (...)

Si l'on souhaite que j'en fasse davantage, j'y suis prête ici même. »

Tous ceux qui l'ont entendue jurer ne peuvent en supporter davantage.

« Dieu, dit chacun, elle a juré avec assurance. Elle a parfaitement respecté la procédure ! Elle en a dit plus que ne le demandaient et l'exigeaient les félons. Il ne faut pas qu'elle présente d'autre justification (et vous l'avez entendue, grands et petits !) que celle qui concerne le roi et son neveu. Elle a juré et fait le serment qu'entre ses cuisses ne sont entrés que le lépreux qui la porta, hier à l'heure de tierce[1], de l'autre côté du gué, et le roi Marc son époux. Maudit soit celui qui mettra sa parole en doute ! »

Le roi Arthur se leva et s'adressa au roi Marc de manière à ce que tous les barons l'entendent :

« Sire, nous avons vu, entendu et bien compris le serment. Maintenant que les trois félons, Denoalain, Ganelon et le mauvais Godoïne n'essaient même pas d'en parler. Tant qu'ils seront dans ce pays, ni la paix ni la guerre ne me retiendront quand la reine Yseut la belle m'adressera un message, de venir au grand galop soutenir son bon droit.

— Sire, fait-elle, je vous remercie. »

Les trois félons sont détestés de la cour. Les deux cours se séparent et s'en vont. Yseut la belle aux cheveux blonds remercie beaucoup le roi Arthur.

« Dame, lui dit-il, je vous assure que vous ne trouverez personne qui vous tienne des propos désobligeants tant que je serai en vie et que j'aurai la santé. C'est pour leur malheur que les félons ont eu de mauvaises pensées. J'ai prié le roi votre époux, sincèrement et avec gentillesse, de ne plus croire ce que les félons racontent à votre sujet. »

---

1. Correspond à neuf heures du matin environ.

Le roi Marc répondit : « Si je le fais dorénavant, infligez-moi votre blâme ! »

Ils se quittent et chacun retourne dans son royaume. Le roi Arthur se rend à Durham et le roi Marc reste en Cornouailles. Tristan ne quitte pas la région et ne s'inquiète guère. Le roi maintient en paix la Cornouailles. Tout le monde le craint, de loin et de près. Il fait participer Yseut à ses divertissements et s'efforce de lui témoigner son grand amour. Mais, malgré cette paix, les trois félons songent à une trahison. Un espion qui espère améliorer son sort vient les trouver.

« Seigneurs, leur dit-il, écoutez-moi. Si je vous mens, pendez-moi. Le roi, l'autre jour, vous sut mauvais gré et vous prit en haine d'avoir exigé le serment de son épouse. Je vous autorise à me pendre ou à m'exiler si je ne vous montre pas clairement Tristan, là où il attend le bonheur de parler à son amie. Il se tapit mais je sais où se trouve sa cachette. Tristan connaît bien Malpertuis[1]. Quand le roi part se divertir, il va prendre son congé dans la chambre. Faites-moi réduire en cendres si, en vous rendant à la fenêtre de la chambre, derrière à droite, vous ne voyez pas arriver Tristan, l'épée au côté, tenant un arc dans une main et deux flèches dans l'autre. Cette nuit, vous le verrez venir vers l'aube.

— Comment le sais-tu ? — Je l'ai vu.

— Tristan ? — Oui, vraiment, je l'ai vu et reconnu.

— Quand y était-il ? — Je l'y ai vu ce matin.

— Et qui était avec lui ? — Son ami.

— Son ami ? Qui cela ? — Le seigneur Gouvernal.

— Où se sont-ils installés ? — Ils s'amusent dans une belle demeure.

— Est-ce chez Dinas ?

---

1. C'est le lieu où réside le goupil dans le *Roman de Renart*. Tristan et Renart possèdent un instinct inné de la ruse. Ils sont très habiles pour tromper leur monde.

— Qu'est-ce que j'en sais ? — Ils n'y sont pas à son insu !

— C'est possible.

— Où les verrons-nous ?

— Par la fenêtre de la chambre, c'est parfaitement vrai. Si je vous le montre, il faudra me donner beaucoup d'argent, autant que j'en attends.

— Combien ? — Un marc d'argent.

— Tu auras beaucoup plus que cela, par l'Église et la messe. Si tu nous le montres, tu n'es pas près de retomber dans la pauvreté.

— Écoutez-moi, à présent, dit le traître. Il y a une petite ouverture à l'endroit précis de la chambre de la reine. Une tapisserie la recouvre. Derrière la chambre, le ruisseau est large et les glaïeuls bien touffus. Que l'un de vous trois y aille de bon matin. Par la brèche du nouveau jardin, qu'il se faufile jusqu'à l'ouverture mais que personne ne passe devant la fenêtre ! Qu'il taille au couteau une longue branche bien pointue et pique l'étoffe de la tenture avec la tige pointue d'aubépine. Qu'il écarte doucement la tenture de l'ouverture, car elle n'est pas attachée, afin de voir parfaitement à l'intérieur quand il viendra lui parler. À condition que vous montiez la garde pendant trois jours seulement, j'accepte d'être brûlé si vous ne voyez pas ce dont j'ai parlé. »

Chacun d'eux dit alors : « Je t'assure que nous tiendrons notre promesse. »

Ils envoient l'espion en avant. Ils discutent alors pour savoir lequel des trois ira le premier regarder les ébats amoureux auxquels s'adonne Tristan dans la chambre avec celle qui lui est tout acquise. Ils conviennent d'envoyer d'abord Godoïne. Ils se séparent et chacun s'en va. Demain, ils sauront comment Tristan se comporte. Dieu ! la noble dame ne se méfiait pas des félons et de leur complot. Par Périnis, un de ses familiers, elle avait demandé à Tristan de venir le lendemain matin. Le roi voulait se rendre à Saint-Lubin.

Écoutez, seigneurs, l'aventure qui est arrivée ! Le lendemain, dans la nuit noire, Tristan se frayait une voie au plus épais d'une épinaie. À l'orée d'un petit bois, il regarda aux alentours et vit venir Godoïne qui sortait de sa cachette. Tristan lui prépara un piège en se cachant dans l'épinaie.

« Ah, Dieu, fait-il, veille sur moi afin que celui qui arrive ne m'aperçoive pas tant qu'il ne sera pas à ma portée. »

Il l'attend à distance et tient son épée. Godoïne prend un autre chemin. Tristan reste sur place, très ennuyé. Il sort du bosquet et se dirige de l'autre côté mais en vain, car celui qui passait son temps à lui en vouloir s'éloignait déjà.

Tristan regarda au loin et vit, l'espace d'un instant, Denoalain qui arrivait à l'amble avec deux lévriers d'une taille stupéfiante. Il se cache derrière un pommier. Denoalain suivait le sentier sur un petit palefroi noir. Il avait envoyé ses chiens dans un fourré pour lever un farouche sanglier. Avant qu'ils puissent le débusquer, leur maître aura reçu un tel coup qu'aucun médecin ne saura le guérir. Tristan le preux enlève son manteau. Denoalain approche. Avant que celui-ci ne devine quelque chose, Tristan bondit. L'autre voulut s'enfuir mais n'y parvint pas. Tristan se trouvait déjà trop près de lui. Il le tua. Que faire d'autre ? L'homme voulait sa mort. Tristan y échappa en lui coupant la tête. Il ne lui laissa pas le temps de dire : « Je suis blessé. » Il trancha les tresses avec son épée et les glissa dans ses chausses afin qu'Yseut le croie lorsqu'il lui avouera le meurtre. Tristan s'éloigne, triomphant.

« Hélas ! fait-il, qu'est devenu Godoïne que j'ai vu arriver si vite tout à l'heure ? Il a disparu. Est-il passé ?

Est-il parti ? S'il m'avait attendu, il aurait pu savoir que je ne lui réservais pas de meilleure récompense que le félon Denoalain que j'ai laissé avec la tête coupée ! »

Tristan abandonne au milieu de la lande le cadavre sanglant qui gît sur le dos. Il essuie son épée et la remet au fourreau, il prend son manteau, met son chaperon sur la tête, recouvre le corps avec des branchages et rejoint la chambre de son amie. Mais écoutez maintenant ce qui lui est arrivé.

Godoïne avait bien couru et devançait Tristan. Il avait percé la tenture et voyait à l'intérieur de la chambre jonchée tout ce que celle-ci contenait. Il n'aperçut pas d'autre homme que Périnis.

La jeune Brangien entra. Elle avait peigné la belle Yseut et tenait encore le peigne à la main. Le félon, appuyé contre le mur, regarda et vit entrer Tristan qui portait un excellent arc d'aubour. Il tenait dans une main ses deux flèches et dans l'autre deux longues tresses. Il ôta son manteau et laissa apparaître son corps svelte.

La belle Yseut aux cheveux blonds se leva devant lui et le salua. Par la fenêtre, elle vit l'ombre de la tête de Godoïne. Elle conserva son sang-froid mais la colère la fit transpirer. Tristan s'adressa à Yseut :

« Que Dieu me garde ! Voici les tresses de Denoalain. Je vous ai vengée de lui. Jamais plus il n'achètera ou ne marchandera un écu ou une lance.

— Seigneur, répondit-elle, que m'importe ? Mais, je vous en prie, tendez donc cet arc et nous verrons comment il est bandé. »

Tristan reste immobile puis réfléchit. Écoutez ! Il s'interroge, a une idée et bande l'arc. Il demande des nouvelles du roi Marc. Yseut lui dit ce qu'elle en sait. (...) s'il pouvait en échapper vivant, il ferait renaître la guerre mortelle entre le roi Marc et son épouse Yseut. Tristan

(que Dieu lui accorde d'être couvert d'honneurs !) empêchera sa fuite. Yseut n'avait pas envie de plaisanter :

« Ami, encochez une flèche et veillez à ne pas tordre le fil.
J'aperçois une chose qui m'ennuie. Tristan, bande ton arc. »

Tristan reste interdit puis réfléchit. Il sait bien qu'elle
voit quelque chose qui lui déplaît. Il lève les yeux, prend
peur, tremble et tressaille. À contre-jour, à travers la tenture, il aperçoit la tête de Godoïne.

« Ah, Dieu, vrai roi, j'ai déjà réussi de si beaux
coups avec un arc et une flèche. Accordez-moi de ne
pas rater celui-ci ! Je vois là dehors un des trois félons
de Cornouailles, toujours prêt à commettre le mal. Dieu
qui as offert à la mort ton corps très saint pour l'humanité, laisse-moi me venger du tort que ces félons me
causent ! »

Il se tourne alors vers le mur, vise plusieurs fois et tire.
La flèche part si vite que Godoïne ne peut l'éviter. Elle
se plante en plein dans son œil, traverse son crâne et sa
cervelle. L'émerillon et l'hirondelle n'atteignent pas la
moitié de cette vitesse. La flèche n'aurait pas traversé
plus vite une pomme blette. L'homme tombe, heurte un
pilier et ne remue plus ni les bras ni les jambes. Il n'a
même pas le temps de dire :

« Je suis blessé, Dieu ! Confession (...) »

*

*Les derniers feuillets du manuscrit de Béroul ne nous
livrent pas la fin de l'histoire. Après la preuve de l'innocence d'Yseut, Tristan revient à la cour. Les amants
reprennent leurs rendez-vous. Le narrateur offre à Tristan la satisfaction de se venger d'une manière brutale
des barons félons. Néanmoins, on sait d'après les autres*

versions que le séjour de Tristan à la cour du roi Marc sera de courte durée. Il sera obligé de s'exiler. Pour revoir Yseut, il aura recours à diverses ruses. Un jour, engagé dans un conflit qui n'est pas le sien, il sera blessé par une arme empoisonnée. Retardée par une tempête, Yseut n'arrivera pas à temps pour le sauver. Ils se rejoindront dans la mort.

La détérioration de la fin du manuscrit donne à la version de Béroul l'allure d'une œuvre ouverte qui sollicite l'imagination. C'est peut-être en ce sens qu'il faut interpréter la suggestion d'un critique moderne : « Si nous rêvons d'une renaissance du prochain millénaire à l'esprit d'enfance, essayons par exemple de proposer à des lycéens de choisir, pour compléter Béroul, entre les dénouements des différents Tristan, voire d'en proposer un autre, toujours en vue de résoudre, sur le seul plan qui permette de vivre, celui du jeu, le problème du tragique de la vie [1]... *».*

1. Jean Batany, « Le *Tristan* de Béroul : une tragédie ludique », dans *L'Hostellerie de Pensée. Etudes sur l'art littéraire au Moyen Age offertes à Daniel Poirion par ses anciens élèves*, Presses de l'Université de Paris-Sorbonne, 1995, p. 38.

DOSSIER

Béroul et la légende tristanienne

Nous ignorons tout de la vie de Béroul, auteur de la version dite « commune » de *Tristan et Yseut*, de même que nous ignorons la biographie de la plupart de ses contemporains, qui, tels Chrétien de Troyes, Marie de France, Thomas d'Angleterre, ont cependant profondément marqué la littérature française de l'époque. Béroul se nomme lui-même à deux reprises dans l'œuvre, une première fois (p. 33) pour vanter sa bonne connaissance des faits, une seconde fois (p. 44) pour signaler qu'il avait lu l'histoire dans un livre.

La datation de l'œuvre de Béroul est difficile ; plusieurs dates ont été proposées entre 1165 et 1200. La version « courtoise » du roman, quant à elle, est due à Thomas d'Angleterre ; rédigée probablement à la cour d'Aliénor d'Aquitaine, petite fille de Guillaume IX, le premier troubadour, et épouse du roi Henri II Plantagenêt, elle daterait donc des années 1155-1173 [1].

Béroul est un auteur qui, tout comme Thomas, s'adresse à un public anglo-normand. En apportent la preuve non seulement sa parfaite connaissance du cadre géographique de la légende, mais encore la mention des

---

1. La version de Thomas peut être lue dans *Tristan et Iseut. Les poèmes français. La saga norroise*, Paris, Le Livre de Poche, Lettres gothiques, 1989, p. 337-483.

pièces de monnaie en usage en Angleterre (les ferlins et
les mailles sterling) et l'emploi, pour désigner le philtre,
d'un mot anglo-saxon, *lovedrink*, que seul un milieu
bilingue pouvait comprendre. Au cours de la seconde
moitié du XIIe siècle, le royaume d'Angleterre, et plus particulièrement les cours itinérantes d'Henri II et d'Aliénor,
est un milieu culturel brillant ; c'est un lieu de rencontre
entre des troubadours, des trouvères, des auteurs de
langue latine de grande renommée (Jean de Salisbury,
Pierre de Blois, Giraud de Barri, Gautier Map), et des
auteurs qui mettent en « roman », c'est-à-dire en français,
les grandes œuvres de l'Antiquité [1].

La version de Béroul nous a été conservée en un
manuscrit unique, copié une centaine d'années après sa
rédaction, en mauvais état, amputé du début et de la fin
de l'histoire. La version de Thomas nous est également
parvenue à l'état fragmentaire ; les fragments appartien-
nent surtout au dernier quart de l'œuvre. Néanmoins,
nous pouvons nous faire une vue d'ensemble de l'histoire grâce à des adaptations étrangères, allemandes et
scandinave, de la légende. L'œuvre d'Eilhart d'Oberg
(avant 1190) nous offre l'histoire complète, de la naissance à la mort du héros. Le *Tristan et Isolde* de
Gottfried de Strasbourg (1200-1210) est une œuvre de
dimensions appréciables ; il s'appuie fortement sur le
roman de Thomas ; il s'interrompt peu après le mariage
du héros avec Yseut aux Blanches Mains. Enfin, un
texte norvégien en prose, la *Saga de Tristan et Yseut*,
traduction de 1226 du roman de Thomas par un certain
frère Robert à la demande du roi Hákon le Vieux,
comprend toute l'histoire des amants [2].

---

1. Voir Rita Lejeune, « Rôle littéraire d'Aliénor d'Aquitaine et de
sa famille », *Cultura neolatina*, XIV, 1954, p. 5-57.   2. La saga se
trouve traduite dans le volume déjà indiqué, *Tristan et Iseut*, p. 509-
664.

Ainsi, la perspective comparatiste se révèle indispensable dans l'étude du poème de Béroul. Le lecteur, en effet, est obligé de combler les lacunes du manuscrit en se rapportant aux adaptations étrangères, qui divergent parfois dans certains passages, introduisent des traits de civilisation spécifiques, et qui sont plus ou moins fidèles à leur modèle français. De surcroît, la légende charrie des éléments très divers provenant de la civilisation celtique, de l'antiquité gréco-romaine, de la latinité médiévale, du folklore. Car Béroul n'a pas inventé l'histoire de Tristan et d'Yseut. Il se réfère lui-même à des conteurs qui narrent la matière tristanienne, même si, à l'en croire, ils ne connaissent pas bien l'histoire. Quand Béroul et Thomas rédigent leurs poèmes, la légende de Tristan est déjà connue. Au cours de la première moitié du XIIᵉ siècle, des parents donnent à leurs enfants les noms de Tristan et d'Yseut. Dans le Midi, les troubadours mentionnent le fameux couple d'amants dès avant 1150. A la même époque, Pierre de Blois déplore dans un traité de morale que les clercs versent des larmes sur les malheurs d'Yseut, alors qu'ils ne devraient pleurer que sur leurs propres péchés. Thomas, quant à lui, s'en rapporte à l'autorité d'un certain Bréri, qui connaîtrait la légende mieux que les autres conteurs. Ce Bréri (ou Bléheri) est un fameux conteur gallois qui, d'après une chronique, serait venu autour de 1130 à la cour du comte de Poitiers où il aurait initié les troubadours à l'histoire de Tristan.

Par ailleurs, Béroul déclare avoir lu l'histoire des deux amants. Même s'il s'agit là d'un lieu commun, car une source écrite accroît le prestige de l'histoire, il est possible qu'un « archétype », nommé *Histoire de Tristan*, se soit constitué vers le milieu du XIIᵉ siècle à partir de plusieurs versions parallèles. Béroul, Thomas et Eilhart se rattacheraient à ce modèle aujourd'hui disparu. Cette hypothèse longtemps admise a été parfois contestée par la critique plus récente.

Le contexte littéraire

L'originalité de Béroul n'apparaît que dans la mesure où nous avons présent à l'esprit le contexte culturel, linguistique et littéraire de son époque. Ce contexte est aussi riche que varié. Les historiens s'accordent pour considérer le XIIe siècle comme une période décisive dans l'essor de l'Occident médiéval. C'est alors que se dessinent les grandes lignes du paysage européen, tel que nous le connaissons aujourd'hui encore : campagnes déboisées, silhouettes des villes, cathédrales, tours, châteaux.

Les écoles urbaines, d'abord attachées à la cathédrale puis organisées autour d'un maître, prennent la relève des écoles monastiques. A partir de ces nouvelles écoles va se développer, autour de 1200, l'institution universitaire dont la plus célèbre est celle de Paris. L'enseignement est dispensé en latin, langue universelle et vivante chez les « clercs », c'est-à-dire les « lettrés », les personnes qui ont fait des études et qui se recrutent dans toutes les classes sociales. Parmi ces clercs qui écrivent en latin on trouve de grands mémorialistes (Guibert de Nogent, Suger), des philosophes (Abélard), des théologiens (Richard et Hugues de Saint-Victor), des maîtres spirituels (Bernard de Clairvaux), des pédagogues (Jean de Salisbury), des poètes remarquables (Alain de Lille).

Deux langues vernaculaires se partagent le territoire de l'ancienne Gaule, le français ou la langue d'oïl au nord de la Loire et le provençal ou la langue d'oc au sud. L'Angleterre, à la suite de sa conquête par les Normands en 1066, se rattache à la langue d'oïl ; la cour et la noblesse parlent français. Le français est le plus ancien des idiomes issus du latin : on considère que le texte des Serments de Strasbourg prononcés en 842 marque sa date de naissance. A la fin du XIᵉ siècle paraît le grand monument littéraire qu'est la *Chanson de Roland*, la plus ancienne chanson de geste. Il s'agit d'un poème épique chanté par un jongleur et qui raconte les hauts faits des ancêtres. Une chanson de geste est composée de strophes de longueur variées, dont le vers est de dix syllabes, plus tard de douze syllabes. Les héros des chansons de geste sont des personnages ayant vécu quelque trois cents ans auparavant, du temps de Charlemagne, « l'empereur à la barbe fleurie » : Roland, son neveu, qui meurt à Roncevaux à cause de la trahison de Ganelon ; Guillaume d'Orange, « le marquis au court nez », son neveu Vivien et Rainouart, le bon géant ; les quatre fils Aymon et Bayart, leur cheval merveilleux ; Huon de Bordeaux et son ami Aubéron, le roi de féerie. La plupart de ces héros combattent les Sarrasins, mais certains parfois se dressent contre leur roi par suite d'une injustice. Le jongleur qui chante « de geste » présente les événements comme ayant effectivement eu lieu dans un passé glorieux.

En même temps que cette « matière de France » apparaît dans le Midi une autre littérature, très différente des poèmes épiques. Les poètes de langue d'oc, nommés troubadours, accordent leur préférence au registre lyrique. Le type même du poème lyrique est la « chanson d'amour », qui invente l'amour comme idéal absolu. La dame aimée est la maîtresse suzeraine, d'une beauté et d'une perfection idéales, à l'égard de laquelle l'amant manifeste une dévotion quasi religieuse. Le premier troubadour connu est le grand seigneur Guillaume IX, duc d'Aquitaine et comte de Poitiers (1071-1126), dont les poèmes témoignent tour à tour d'un sentiment d'amour délicat et d'un érotisme effréné. Jaufré Rudel chante un « amour de loin » éthéré, Bernard de Ventadour un amour nostalgique, Raimbaut d'Orange un amour presque ésotérique. Leurs émules de la France d'oïl sont les trouvères. Ensemble, troubadours et trouvères expriment un idéal de la vie et de l'amour nommé courtoisie. Cet idéal ne se réduit pas à un simple code de politesse. La courtoisie est « un art de vivre et une élégance morale ; une politesse de conduite et d'esprit fondée sur la générosité, la loyauté, la fidélité, la discrétion, et qui se manifeste par la bonté, la douceur, l'humilité envers les dames, mais aussi par un souci de renommée, par la libéralité, par le refus du mensonge, de l'envie, de toute lâche-té » [1].

Vers le milieu du XIIe siècle, une forme narrative nouvelle voit le jour : de longs poèmes en vers de huit syllabes, rimés deux par deux, destinés à la lecture, sans accompagnement musical. On les appelle des « romans », car ils sont traduits ou rédigés en langue romane, c'est-à-dire vulgaire. Les premiers empruntent leurs sujets à l'Antiquité gréco-romaine : le *Roman de Thèbes* est l'adaptation de la *Thébaïde* de Stace, le *Roman d'Enéas* celle de l'*Enéide* de Virgile, le *Roman de Troie* de Benoît de Sainte-Maure est inspiré des poèmes sur la guerre de Troie. Ces romans sont écrits à la demande de la cour d'Henri II d'Angleterre et des cours seigneuriales de l'Angleterre normande.

Mais bientôt une autre matière réunit les suffrages du public : avec Chrétien de Troyes (actif entre 1165-1190), le roman s'inspire d'un univers celtique légendaire, la « matière de Bretagne ». Ses héros sont des chevaliers de la cour du roi Arthur. L'idéal qui les meut n'est plus la vaillance sur les champs de bataille pour la défense de l'empereur et de la foi chrétienne, mais la renommée des

---

1. Paul Zumthor, *Essai de poétique médiévale*, Paris, Editions du Seuil, 1972, p. 469.

armes pour conquérir l'amour d'une dame. Erec, Yvain ou le Chevalier au lion, Lancelot ou le Chevalier de la charrette, sont des chevaliers errants qui associent la prouesse guerrière à l'amour courtois. Après avoir manqué une première fois l'aventure spirituelle du Graal à laquelle il était apparemment destiné, Perceval le Gallois se lance dans la quête du château du Graal, qui entretemps a mystérieusement disparu. Dans un siècle non dépourvu d'auteurs de grande envergure, même si la plupart sont restés anonymes et d'autres ne nous ont laissé qu'un simple nom, Chrétien de Troyes, le maître du « beau français », est sans doute la personnalité poétique la plus considérable et le fondateur du genre romanesque.

C'est à la « matière de Bretagne » que se rattache la légende de *Tristan et Yseut*. Pour Béroul, les héros sont contemporains du roi Arthur et cette idée sera reprise au XIIIe siècle dans le roman de *Tristan en prose*. Mais à la différence du roman arthurien, le héros de la légende tristanienne n'est pas un chevalier errant en quête d'aventures. Yseut ne correspond pas non plus à l'idéal féminin de la courtoisie. Les poètes courtois associent la *fin'amour* à une longue attente platonique et à l'espérance de la joie ; généralement, l'amour naît dans le cœur de l'homme à la vue de la beauté rayonnante de la femme pourvue de toutes les qualités physiques, morales, intellectuelles. L'amour partagé naît dans la réciprocité du regard : « et leurs yeux se rencontrèrent », dit Chrétien de Troyes à propos de Cligès et Fénice. Par contre, les auteurs qui racontent la légende de Tristan et Yseut relient l'amour à la souffrance et aux tourments permanents. Chez eux, l'amour est causé par l'absorption d'une boisson magique. Mais Béroul ne se livre pas à des réflexions morales et à de longues analyses d'états d'âme, comme le fait Thomas dans sa version, plus sentimentale et plus courtoise, de la légende.

Le contenu de la légende

En partant de la version de Thomas et des autres dérivés, allemands et scandinave, on peut se faire une idée générale de l'histoire de Tristan, telle qu'elle circulait au XIIe siècle.

Une première partie de l'œuvre raconte le destin tragique des parents de Tristan, préfiguration de celui de nos deux protagonistes : le père, nommé Rivalin, originaire de la Bretagne armoricaine, est mortellement blessé au cours d'une bataille ; la mère, Blanchefleur, sœur du roi Marc, meurt de chagrin après avoir mis au monde un fils. L'enfant porte le nom de Tristan pour être né en de tristes circonstances. Il reçoit de ses parents adoptifs une éducation très soignée. Enlevé par des marchands norvégiens, il arrive un jour à la cour de son oncle, où il s'impose par ses connaissances dans l'art de la vénerie, son habileté au jeu d'échecs, sa maîtrise des arts musicaux. Le père adoptif, parti à sa recherche, parvient à la cour de Cornouailles et révèle l'identité de Tristan : il est bien le neveu du roi. Tristan est armé chevalier par Marc.

La carrière héroïque de Tristan commence au moment où le géant Morholt, frère de la reine d'Irlande, débarque en Cornouailles et réclame en tribut des enfants du pays. Sur une île, le jeune chevalier affronte le Morholt en combat singulier et le tue, mais il est lui-même blessé par l'arme empoisonnée de son adversaire. Il apprend de la bouche du Morholt que seule la reine d'Irlande pourrait le guérir. Le cadavre du Morholt est ramené à Dublin. Les gens découvrent dans son crâne un éclat de l'épée de Tristan que la reine garde pieusement. Entre-temps, la blessure de Tristan s'aggrave. Chez Eilhart, Tristan demande à être placé seul dans une barque, avec son épée et une harpe. Le vent pousse l'embarcation sur une grève d'Irlande ; sachant qu'il risque sa vie si le roi d'Irlande apprend son identité, Tristan se présente comme étant un jongleur. (*Saga* : Tristan s'embarque avec un équipage sur un bateau, fait route vers l'Irlande, devient le précepteur d'Yseut, la fille du roi, et la reine le guérit en échange de ses services.)

De retour en Cornouailles, Tristan est déclaré héritier de la couronne par son oncle, ce qui déclenche le mécontentement des barons de la cour. Ceux-ci exigent du roi qu'il prenne une épouse digne de son rang. D'après Eilhart, le roi est réticent à donner satisfaction aux barons, car il connaît leur haine pour Tristan. Au moment où il doit donner sa réponse, une hirondelle laisse tomber de son bec un long cheveu blond ; le roi promet d'épouser celle à qui appartient ce cheveu. Tristan se charge de la trouver. Il se déguise en marchand pour courir le monde, mais le vent le pousse à nouveau vers l'Irlande. (*Saga* : les barons proposent au roi d'épouser la fille du roi d'Irlande. Déguisé en marchand, Tristan se rend une seconde fois en Irlande.) Or, le pays est ravagé par un dragon que personne n'ose affronter. Le roi avait promis sa fille en mariage au chevalier qui tuerait le monstre. Tristan anéantit le dragon, mais empoisonné par son venin, il perd connaissance. Le sénéchal du roi prétend avoir tué le dragon. Yseut et sa mère retrouvent Tristan et le soignent, mais elles découvrent, en examinant l'épée ébréchée de Tristan, que le vainqueur du dragon est aussi le tueur du Morholt. Yseut brandit l'épée pour le tuer. Elle y renonce pourtant devant l'argument de Tristan, qui lui rappelle la triste perspective de devoir épouser le prétendu vainqueur.

Tristan confond l'imposteur et demande la main d'Yseut pour le roi Marc. Lors de la traversée de la mer vers la Cornouailles, ils boivent par erreur un « vin herbé », philtre d'amour que la reine d'Irlande avait préparé pour les futurs époux. C'est Brangien, la suivante d'Yseut, qui est responsable de la méprise. Tristan et Yseut deviennent amants, de sorte que pendant la nuit de noces Brangien accepte de remplacer la reine dans le lit nuptial. Mais les ennemis de Tristan découvrent la relation adultère et révèlent le secret au roi.

C'est à partir de cet épisode que nous pouvons poursuivre l'histoire dans le manuscrit de la version de Béroul. Les amants réussissent à écarter quelque temps les soupçons du roi, mais ils finiront par se faire prendre. Condamnés à mort, ils se sauvent et mènent dans la forêt une vie misérable, en compagnie du fidèle écuyer Governal et du chien Husdent. (A la différence des autres auteurs, Gottfried fait vivre les amants dans une grotte merveilleuse, nommée « grotte d'amour », située dans un endroit difficile d'accès, mais paradisiaque, où règne un éternel printemps.) Au bout de trois ans (quatre ans chez Eilhart), le philtre cesse d'agir (chez Thomas et Gottfried, l'effet du philtre n'est pas limité). Yseut retourne auprès du roi, mais elle est obligée de se soumettre à un serment d'innocence. Grâce à Dieu et par la ruse, elle subit l'épreuve avec succès. Tristan revient également à la cour. Les amants poursuivent leur relation amoureuse et Tristan se venge des félons. C'est là que s'interrompt le manuscrit.

Pour connaître la suite, nous sommes obligés d'avoir recours à la version de Thomas, dont les manuscrits nous ont heureusement conservé la fin de l'histoire. Les amants sont imprudents ; Tristan est obligé de s'exiler. Après bien des errances, il se rend en Bretagne où il épouse une noble fille nommée Yseut aux Blanches Mains, dans l'espoir d'oublier Yseut la Blonde. Mais il n'y parvient pas et il ne consomme pas le mariage. A nouveau blessé par une arme empoisonnée, il demande à un ami fidèle d'aller quérir sa bien-aimée, seule capable de le guérir. Si Yseut accepte de le sauver, le navire devra arborer une voile blanche, dans le cas contraire une voile noire. La reine s'embarque sans hésiter sur le navire qui l'emmènera en Armorique. Mais l'épouse de Tristan n'ignore pas la convention des voiles. Quand le navire paraît à l'horizon, elle déclare que la voile est noire. Tristan meurt de désespoir. Yseut débarque, elle s'étend à ses côtés et le suit dans la mort. Selon Eilhart, le roi Marc fait enterrer les amants avec les plus grands honneurs dans la même tombe. Il fait planter un rosier à l'endroit où se trouve Yseut et un cep de vigne du côté de Tristan. Les deux plantes finissent par s'entrelacer étroitement. Ce motif de l'union des amants après leur mort sera repris dans toutes les versions ultérieures. Wagner le transpose en musique : dans le prélude de son opéra, cordes et instruments à vents se répondent alternativement.

Il faut ajouter à cet argument très général deux aventures de Tristan exposées dans de brefs récits indépendants. Deux textes en vers, nommés *Folie Tristan* (fin du XIIᵉ siècle), traitent du même sujet[1]. Obligé de quitter le royaume de Cornouailles, Tristan vit en Petite Bretagne, mais il se consume d'amour loin d'Yseut. Comme il ne peut vivre dans une telle souffrance, il trouve un stratagème pour rejoindre sa bien-aimée, fût-ce au péril de sa vie. Il traverse la mer et se déguise en fou : vêtu de haillons, le crâne tondu en forme de croix, le visage noirci, il se rend à Tintagel. En contrefaisant sa voix, il amuse le roi et la cour par ses plaisanteries extravagantes ou ses rêves insensés. Il affirme posséder un palais féerique, fait de verre et

---

1. *Tristan et Iseut*, Lettres gothiques, p. 234-311.

cristal, situé entre les nues et le ciel. Mais, dans ses propos, Tristan mêle audacieusement des allusions à ses amours avec Yseut. Désemparée par ses dires confus, craignant un imposteur, Yseut refuse de reconnaître dans ce personnage repoussant le beau et vaillant Tristan. Dans un des textes, c'est le chien Husdent qui reconnaît son maître ; dans l'autre texte, Yseut reconnaît son amant quand Tristan cesse de contrefaire sa voix.

Dans le *Lai du chèvrefeuille*[1], Marie de France raconte une rencontre furtive des amants ; comme Béroul et Thomas, elle a entendu le récit de l'histoire des deux amants et elle l'a aussi lue dans un livre. Dans ce lai, Tristan avertit Yseut de sa présence dans la forêt en jetant sur son passage un bâton de coudrier. Yseut ne peut manquer la signification de ce message, car « il en était d'eux comme du chèvrefeuille qui s'enroulait autour du coudrier ; une fois qu'il s'y est enlacé et qu'il s'est attaché au tronc, ils peuvent longtemps vivre ensemble. Mais ensuite, si on cherche à les séparer, le coudrier meurt aussitôt et le chèvrefeuille pareillement. 'Belle amie, il en est ainsi de nous : ni vous sans moi, ni moi sans vous' ». C'est Tristan lui-même qui le premier aurait raconté cette aventure dans un lai.

L'origine celtique de la légende

Un texte gallois rapporte de façon énigmatique une tradition archaïque sur un certain Drystan, amant d'Essylt, femme du roi March. Tous ces noms sont d'origine insulaire. On a trouvé le premier en Cornouailles, gravé sur une stèle funéraire datant du

---

1. *Tristan et Iseut*, Lettres gothiques, p. 313-319.

vɪᵉ siècle ; le deuxième est attesté par une charte de
la fin du xᵉ siècle, qui enregistre un « gué d'Essylt ».
Quant au troisième, il signifie « cheval » ; ce n'est
donc pas par hasard que chez Béroul, le nain attribue
au roi de Cornouailles des oreilles de cheval : selon
une vieille croyance, les rois naissent avec une
marque animale.

Les littératures celtiques ne nous ont transmis aucune
histoire qui pourrait être la source de notre roman. Il
existe pourtant dans la riche littérature irlandaise une
série de récits analogues à *Tristan et Yseut*. Ainsi de
l'histoire du jeune guerrier Diarmaid et de Grainné,
l'épouse du vieux roi Finn[1]. Eprise du jeune homme,
c'est en recourant à un défi magique (*geis*) que Grainné
oblige Diarmaid à l'enlever. Ils errent misérablement
dans la forêt, se cachent dans des grottes, mais loyal à
son oncle Finn, Diarmaid dort toujours à l'écart de
Grainné. Il exprime son tourment dans un poème où il
évoque la vie brillante qu'il menait jadis au palais du
roi. Un jour, éclaboussée à la cuisse par l'eau d'une
flaque, Grainné lance un second défi, auquel le jeune
homme ne pourra plus se dérober : « Ah Diarmaid,
grande est votre valeur dans les combats, et pourtant
cette eau est plus hardie que vous » ; remarquons que
Thomas d'Angleterre raconte un épisode semblable
dans sa version du roman[2]. Poursuivi par les hommes
de Finn, Diarmaid leur échappe par un saut prodigieux.
Une fois, un étranger pénètre dans la retraite des
amants. Il joue aux dés avec Diarmaid sans préciser
l'enjeu, gagne et demande Grainné comme prix de la
partie. Il s'agit là d'une coutume celtique primitive,
celle du « don contraignant », à laquelle Diarmaid ne

---

1. V. Jean Markale, *L'Epopée celtique d'Irlande*, Paris, Payot, 1971,
p. 153-164. **2.** *Tristan et Iseut*, Lettres gothiques, p. 389-391.

peut se soustraire. Mais Diarmaid se déguise en mendiant, tue l'étranger et libère Grainné. On aura reconnu
dans cette aventure l'épisode de la harpe et de la vielle
raconté par la *Saga*[1]. Par deux fois, les amants rencontrent un personnage surnaturel, Oengus, qui les protège
par la magie, intervient auprès de Finn et finit par
obtenir son pardon. Au cours d'une chasse, Diarmaid
est blessé à mort par les soies venimeuses d'un sanglier.
Dans une version ancienne de la légende, Grainné
tombe inanimée sur le sol, à côté de son amant.

Au-delà d'un certain nombre de péripéties communes, ce
conte irlandais qui remonte au IXe siècle est proche du roman
français de *Tristan et Yseut* surtout par le thème de la fatalité
et par la complexité des rapports entre le jeune héros, la
reine et le roi. Mais les différences sont peut-être plus
importantes que les analogies, car elles permettent une
interrogation sur les nouvelles orientations données par
l'imaginaire médiéval au sentiment amoureux ou encore sur
le travail du narrateur français à partir des sources celtiques
supposées, sur sa conscience esthétique.

L'histoire de Diarmaid et Grainné n'est qu'un épisode
du Cycle de Finn, où des souvenirs mythologiques
archaïques se mêlent à des croyances magiques et toté-
miques. Ainsi, Diarmaid est soumis à de terribles interdits
auxquels il ne peut se soustraire, comme celui de ne
jamais refuser une chose demandée par un compagnon ;
il ne doit pas non plus tuer de sanglier, or Finn lui deman-
dera de tuer un terrible sanglier venu de l'autre monde,
ce qui entraînera la mort du héros.

S'il est vrai que dans le roman français l'amour est
la conséquence d'un charme magique, celui-ci n'est pas
imposé par la femme à un homme réticent, à la suite d'un
caprice ou d'une passion irrésistible. Au contraire, les
amants se partagent à égalité les joies et les souffrances.

---

1. *Tristan et Iseut*, Lettres gothiques, p. 587-591.

On reconnaît également dans *Tristan et Yseut* des motifs universels et non plus seulement celtiques. Le motif de la fille aux cheveux d'or que le héros épousera à la fin d'une série d'épreuves est très répandu dans les contes populaires des différentes régions d'Europe. Il en est de même du combat du héros contre un géant ou contre un dragon. La mythologie grecque nous offre même une histoire très proche de l'épisode du sénéchal imposteur : un étranger, Alcathoos, tue un lion qui terrorise la région de Mégare et met sa langue dans sa besace. Des hommes de la cour du roi de Mégare prétendent avoir tué la bête, mais Alcathoos ouvre sa besace et les confond. Le roi Marc aux oreilles de cheval a son analogue antique dans Midas, le roi aux oreilles d'âne, dont la légende était connue au Moyen Age grâce à Ovide. Enfin, les circonstances de la mort de Tristan nous rappellent celles de la mort d'Egée, père de Thésée vainqueur du Minotaure, trompé par la voile noire du navire. Des analogies ont été aussi mises en évidence entre le roman français et la légende de *Wîs et Râmîn*, œuvre persane du XIIᵉ siècle.

Les étapes du récit de Béroul

Les amants épiés par le roi

Cette légende d'amour et de mort n'est pas dépourvue de situations burlesques. Ainsi de la rencontre nocturne des amants dans le verger et du roi qui les épie caché dans un arbre. Cet épisode réunit dans un décor simplifié les trois personnages principaux. C'est peut-être pour cette raison qu'il est à l'origine d'un motif iconographique très répandu, ornant non seulement les manuscrits, mais des tapisseries, des fresques, des coffrets d'ivoire et même des miséricordes dans les cathédrales.

Un contemporain de Béroul, Arnoul d'Orléans, auteur d'une comédie en langue latine, *Lidia* (c. 1170-75), expose une situation plus ou moins semblable. Lidia gagne l'amour de Pirrus en lui donnant des gages au détriment du mari. Elle promet à l'amant de faire du mari le témoin de l'adultère. Les trois se rendent dans un verger sous un poirier et Pirrus, invité par Lidia à monter dans l'arbre pour cueillir des poires, accuse injustement les époux de se livrer à un spectacle indécent. Ces affirmations laissent le mari incrédule. Pour vérifier ce prodige, il monte à son tour dans l'arbre d'où il voit les deux amants s'embrasser ; évidemment, cette fois le spectacle n'est plus trompeur. Le mari en conclut que l'arbre est enchanté et il le fait abattre. Le motif sera exploité dans un fabliau (*Le Prêtre voyeur* de Garin), dans deux fables de Marie de France et dans les sermons des prédicateurs.

A la place du comique grossier, de l'effronterie des amants, de la stupidité du mari, Béroul préfère le stratagème du double langage et des formules équivoques. Yseut prend la parole la première pour prévenir Tristan de la présence de Marc ; en l'écoutant, Tristan se rend compte qu'Yseut elle aussi a vu le roi. Apparemment Yseut parle à Tristan, alors qu'en réalité son discours s'adresse à son époux. Elle fait semblant de pleurer, mais la peur qu'elle exprime peu après n'est pas feinte : les amants adultères risquent la mort et l'épisode suivant le confirmera. Les premières paroles d'Yseut, concernant la perte de sa virginité, ressemblent à un serment avec l'invocation de Dieu comme témoin. Cependant, Marc ignore que ces paroles n'ont de valeur que par référence à la substitution qui avait mis Brangien à la place de la reine dans le lit nuptial. De son côté, Tristan rappelle le passé et sa victoire sur le Morholt ; il réclame un combat judiciaire, tout en sachant que personne n'osera l'affronter.

Quand il demande à Yseut une aide financière pour acheter son équipement, il met l'accent sur l'ingratitude du roi à l'égard d'un fidèle chevalier. Sa situation matérielle difficile rappelle le dénuement de Lanval et de Graelent, héros de lais féeriques, que le roi a oubliés de récompenser pour leurs services[1].

Le jeu des amants aboutit à un renversement de la situation initiale. Les soupçons du roi se dissipent. Il considère l'accusation des barons comme une calomnie sans fondement et donne à Tristan l'autorisation de revenir à la cour.

Les amants pris au piège

Imprudents, les amants se rencontrent désormais au grand jour. A plusieurs reprises, ils sont surpris par les barons envieux qui les dénoncent au roi. Ce dernier accepte que le nain leur tende un piège, ce qui laisse augurer une nouvelle crise. Cette fois, le nain ne recourt pas à la magie : il achète de la farine chez le boulanger et l'éparpille lui-même dans la chambre du roi, entre les deux lits. Mais dans un premier temps il échoue, car Tristan a surpris son manège. Pourtant, en sautant d'un lit à l'autre, Tristan rouvre sa blessure et le sang répandu sur la farine le trahira. Les amants ne sont pas surpris en flagrant délit, la preuve de l'adultère est matérielle.

Le châtiment expéditif du roi ne correspond pas aux coutumes juridiques du temps. Le seigneur de Dinan exprime ainsi sa réprobation : le roi ne peut pas livrer la reine aux flammes parce qu'il n'y a pas eu de jugement et que la reine n'a pas reconnu sa faute. C'est également

---

1. Voir *Les Lais de Marie de France*, « Lai de Lanval », Le Livre de Poche, Lettres gothiques, 1990, p. 135 et *Lais féeriques des XIIᵉ et XIIIᵉ siècles*, « Lai de Graelent », GF-Flammarion, 1992, p. 29.

l'avis du peuple, qui demande que les accusés soient jugés au préalable. Rappelons qu'au XIIᵉ siècle les différends entre époux relevaient de la compétence législative et juridique exclusive de l'Eglise et non de l'autorité laïque. Ici, le roi s'érige en juge alors qu'il est partie et qu'il veut se venger à tout prix. Sa décision de ligoter les amants est celle d'un « vilain ». Béroul multiplie les détails qui vont rendre l'épisode plus pathétique. D'autre part, pour les auteurs, cette violence primitive est une marque de l'ancienneté de l'histoire : en réalité, il n'y avait pas de bûcher pour punir l'adultère, ni de condamnation à être livré aux lépreux. L'œuvre médiévale ne reflète pas forcément la réalité : par exemple, à l'époque de Béroul, le chambellan n'avait pas son lit dans la chambre du couple royal !

Quant à la scène du sang sur la farine, elle a probablement inspiré à Chrétien de Troyes l'épisode de la nuit d'amour de Lancelot et Guenièvre. En tordant les barreaux de la chambre de la reine prisonnière de Méléagant, Lancelot se blesse aux doigts. La reine l'accueille dans son lit. Or, le sénéchal Keu, grièvement blessé, dort dans la même chambre. Le lendemain, Méléagant découvre les draps tachés de sang et accuse Keu d'avoir partagé le lit de la reine. Lancelot prend la défense de Keu : il jure sur reliques que le sénéchal est innocent et engage un combat judiciaire contre Méléagant.

La forêt du Morrois

La forêt du Morrois est le lieu antithétique de la cour. Les amants y vivent libérés de toute contrainte sociale. Ils se nourrissent des produits de la chasse, s'abritent dans des huttes. Mais la rupture avec le monde ne signifie pas le bonheur sans fin. Le dénuement des amants est total. Chez Béroul la forêt est un espace sauvage jamais traversé par des chevaliers errants ou des demoiselles, pas davantage habité par des vavasseurs ou des fées, comme dans les romans de Chrétien de Troyes et les lais : c'est le « désert » et non pas le lieu privilégié de l'aventure chevaleresque et du merveilleux. L'Arc Infaillible de Tristan n'est pas une arme magique, mais simplement un piège ingénieux. Un détail étonnamment réaliste — l'alimentation faite exclusivement de venaison altère le teint des amants — a pour fonction de montrer que la vie à l'écart de la société n'est en rien paradisiaque. La chasse, plaisir noble autrefois, est devenue une nécessité vitale. Les joyeux aboiements du chien Husdent sont étouffés ; la chasse se fait silencieuse. Les amants mènent la vie angoissante des hors-la-loi.

La découverte par le roi Marc des amants endormis est un épisode de forte densité dramatique. Il a donné naissance à de multiples interprétations. Le roi qui s'était précipité dans la hutte avec la décision de tuer change soudainement d'avis et épargne les deux malheureux à la seule vue de l'épée nue placée entre leurs corps. Pour les contemporains de Béroul, l'épée placée entre un homme et une femme est un symbole de chasteté, comme le raconte la chanson de geste *Ami et Amile* ou le *Chant des Nibelungen*. Aux yeux du roi, l'épée est une preuve suffisante que les fugitifs ne s'aiment pas d'un amour coupable. Aussi se contente-t-il de laisser des indices de son passage : de ses gants, il protège Yseut d'un rayon de soleil qui l'incommode ; il retire doucement la bague qu'il lui avait donnée jadis ; enfin, il retire l'épée de Tristan et met la sienne à la place.

Béroul ne nous fournit aucune explication sur ces gestes. Mais ces objets ne sont pas neutres, ils ont tous une valeur symbolique. Que Marc donne son épée à Tristan pourrait être considéré comme un rituel d'investiture vassalique : le suzerain remet le vassal sous son autorité pour le « service d'armes ». Par la substitution des anneaux, le roi replacerait Yseut sous sa dépendance. Il en serait de même pour le gant [1]. D'autres critiques voient dans ces gestes des signes de clémence et de réconciliation. Placer le gant de manière à empêcher le soleil d'incommoder Yseut, n'est-ce pas une preuve de tendresse ? S'emparer de l'arme d'un guerrier peut certes s'interpréter comme un signe d'hostilité, surtout s'agissant d'une épée aussi prestigieuse que celle qui a tué le Morholt. Mais l'échange des épées entre chevaliers est parfois un signe d'amitié, comme on le voit dans la *Chanson de Roland*.

L'épisode a été maintes fois représenté sur les objets d'art. Jean Renart, un auteur du début du XIIIᵉ siècle, décrit dans son roman *L'Escoufle* une coupe d'or sur laquelle sont représentés les amants, l'épée ébréchée de Tristan, le rayon de soleil qui traverse le feuillage et tombe sur le visage d'Yseut. A la vue de ce rayon de soleil, Marc s'attendrit et renonce à se venger. Ce n'est pas la première fois que le roi aurait été mû par le sentiment de la pitié. Dans l'épisode où Béroul nous le présente perché dans le pin, il éprouve de la pitié pour Tristan et pour ses souffrances : le roi Marc n'est en aucun cas un personnage de fabliau ou un traître achevé.

Ce n'est pourtant pas la clémence que les amants de Béroul lisent dans les gestes de Marc. Yseut est effrayée par un cauchemar et Tristan prête au roi la ferme intention de les prendre au piège.

Le retour à la cour

Un jour, lors de la poursuite d'un cerf, Tristan s'arrête

---

1. Jean Marx, « La surprise des amants par Marc », dans *Nouvelles recherches sur la littérature arthurienne*, Paris, Klincksieck, 1965, p. 288-297.

en pleine course. C'est l'heure où, trois ans auparavant, il avait bu le philtre. Il se lamente d'avoir négligé la chevalerie, regrette le sort misérable qu'il a réservé à Yseut et le mal qu'il a fait à son oncle. De son côté, Yseut regrette la vie à la cour, la perte de ses fonctions de reine.

Dans la décision de revenir à la cour, l'ermite Ogrin joue un rôle capital. L'ermite est un personnage traditionnel des romans : il offre hospitalité, soins et conseils aux chevaliers errants. L'épisode du Morrois est placé entre les deux rencontres des amants avec Ogrin. Lors de la première rencontre, due au hasard, les amants attribuent l'origine de leur amour à une « boisson » magique, un « vin herbé » ou « lovedrink ». Nous sommes très loin des fines analyses psychologiques d'un Chrétien de Troyes à propos de la naissance de l'amour chez ses personnages. Pour Béroul, l'amour est une force aveugle et brutale qui nie la liberté de l'homme, une fatalité que l'ermite considère comme un péché dont il faut se repentir. Ogrin écoute les amants avec bonté, mais il ne peut être d'accord avec eux. Comme le note un critique, l'essence du péché est la perte de la liberté : « La faute de la belle-mère est précisément de préparer une boisson qui investisse les époux et les prive de leur liberté. C'est par où toute sorcellerie est rattachée au démon au Moyen Age, elle est une activité qui tend à se libérer des forces rationnelles [1]... ».

La deuxième rencontre avec Ogrin a lieu une fois que le philtre a cessé d'agir. Yseut suggère à Tristan que l'ermite pourrait leur être d'un grand secours. Son discours n'est pas très différent de celui de l'ermite : elle rend grâce à Dieu, parle de péché, de repentir et de la joie éternelle. En se jetant aux pieds d'Ogrin, elle évoque la « folie » qu'elle a commise, elle promet de renoncer à

---

1. C. Cahné, *Le Philtre et le venin dans* Tristan et Yseut, Paris, Nizet, 1975, p. 21-22.

l'union charnelle avec Tristan, mais elle ne se repent pas d'avoir aimé Tristan. Ses paroles sont sans doute ambiguës, mais l'ermite s'en contente. Le but d'Ogrin est de rétablir l'institution du mariage, de réconcilier l'oncle et le neveu. Par un « bel mentir », il met un terme à la déchéance des amants, il évite le ridicule au roi Marc.

Toutefois, ni la limitation de l'effet du philtre ni la promesse de renoncer à l'adultère n'ont de conséquence sur la liaison entre les amants. Ils continueront à s'aimer jusqu'à la fin de leur vie, preuve que cet amour est plus fort que la magie. Cela est une donnée permanente de l'ensemble de la tradition tristanienne. Dans l'*Ystoria Tristan*, un texte gallois médiéval, Arthur impose la paix entre Marc et Tristan en décidant que les deux doivent profiter d'Yseut à tour de rôle : l'un quand il y a des feuilles sur les arbres, l'autre quand il n'y en a pas. Marc choisit cette dernière proposition parce que les nuits sont plus longues en hiver. Yseut bénit alors le houx, le lierre et l'if, qui gardent leurs feuilles toute leur vie[1].

Le serment ambigu

La scène est préparée d'avance par Yseut, qui mène le jeu dans tout cet épisode. Elle accepte de faire un serment solennel pour attester son innocence, mais c'est elle qui en fixe le contenu et les modalités. Elle indique avec minutie à Tristan les gestes qu'il devra faire. La présence de Tristan est indispensable, mais son rôle assez réduit. Il se prête avec joie à une scène de farce, où il se moque du roi Marc et se venge des humiliations infligées autre-fois par les barons de la cour aujourd'hui enlisés dans le bourbier.

La rencontre des deux cours royales fournit l'occasion

---

1. Traduction dans Philippe Walter, *Le Gant de verre. Le mythe de Tristan et Iseut*, Editions Artus, 1990, p. 318-320.

d'une grande fête courtoise : la veille du serment, les chevaliers de la Table Ronde, élégamment équipés, joutent devant le Gué Aventureux ; un tournoi est organisé sur la Blanche Lande, auquel Tristan et son maître d'armes participent incognito et se vengent de deux félons ; les chevaliers se livrent au plaisir de la chasse et de la compagnie des dames ; le roi Arthur rend visite au roi Marc ; les riches seigneurs se font des présents ; des ménestrels jouent des instruments de musique et la joie bat son plein.

En revanche, le lendemain, Yseut prononce un serment dans un langage brutal qui rappelle l'univers des fabliaux. Sa version des faits met hors de cause le neveu du roi, satisfait les deux cours, impose le silence aux barons félons. De ce fait, l'ordalie et le duel judiciaire sont devenus inutiles.

La ruse imaginée par Yseut est en réalité un motif universel que l'on a retrouvé dans la littérature indienne, dans une saga norvégienne, dans des contes roumains et allemands. On peut le résumer comme suit : une femme est accusée d'avoir des relations coupables avec un homme. Son amant prend l'aspect d'un mendiant horrible ou d'un fou. La femme le touche et déclare sous serment n'avoir jamais été touchée que par son mari et par le mendiant. Ce motif également connu au Moyen Age est inséré au cycle de légendes consacrées à Virgile le magicien.

Yseut se place à la fois sous la protection divine et sous la garantie d'Arthur et des chevaliers de la Table Ronde. Ce n'est pas la première fois que Dieu intervient en faveur des amants. Déjà Brangien considérait que Dieu « qui n'a jamais menti » avait fait un grand miracle (p. 16) en ne permettant pas au roi caché dans l'arbre de connaître la vérité. Quant au roi Arthur, il est traditionnellement décrit comme un roi justicier, comme il le déclare lui même dans *Erec et Enide*, le premier roman arthurien :

> je suis roi, je ne dois donc pas mentir,
> ni permettre la malhonnêteté,
> l'iniquité ou la démesure :
> il me faut garder raison et droiture[1].

Technique narrative de Béroul

Béroul n'est peut-être pas un clerc, comme le sont Thomas d'Angleterre ou Chrétien de Troyes, mais son art s'apparente à celui du jongleur. On retrouve chez lui, en particulier dans la première partie, une tonalité archaïque proche de celle des jongleurs qui, dans leurs prestations, récitaient des chansons de geste. Il en est ainsi des formules d'appel au public : « Ecoutez, seigneurs ! », ou bien de l'affirmation de partis pris. A l'instar des jongleurs, Béroul prend fait et cause pour les amants, il couvre d'invectives leurs adversaires.

De surcroît, le poème de Béroul est fait d'une série d'épisodes exemplaires de la vie des amants. La critique a vu dans cette discontinuité du récit la trace possible des lais chantés par ces conteurs celtes auxquels fait allusion Marie de France. Béroul ne fait pas de transition d'un épisode à l'autre, et pourtant il ne les met pas simplement bout à bout. On relève des séquences binaires d'épisodes couplés : l'épisode du rendez-vous épié, au cours duquel les amants se disculpent de toute suspicion, est suivi d'un autre, où les amants sont confondus et condamnés sans jugement ; l'évasion spectaculaire de Tristan est suivie de la libération d'Yseut ; la fausse interprétation que donne

---

1. Chrétien de Troyes, *Erec et Enide*, Paris, Le Livre de Poche, Lettres gothiques, 1992, p. 157.

Marc à la découverte des amants endormis dans la forêt trouve un écho dans la fausse interprétation que les amants donnent aux gestes de Marc ; une première rencontre des amants avec l'ermite est suivie d'une autre. A l'épisode où une troupe de lépreux sollicite Yseut correspond celui où Tristan déguisé en lépreux vient en aide à la reine pour traverser le marécage.

A ce procédé d'articulation du récit, il faut ajouter la préférence de Béroul pour les images de préfiguration : dans le premier épisode, Yseut craint d'être livrée aux flammes si le roi la soupçonne d'adultère ; elle risque bel et bien le bûcher dans l'épisode suivant. Le bond qu'effectue Tristan d'un lit à l'autre et qui le mène à sa perte prélude le saut prodigieux qu'il effectue du haut de la chapelle et qui va le sauver.

Tout comme les jongleurs épiques, Béroul ne cesse de faire des évocations du passé. Par ces allusions réitérées nous gardons toujours présente à l'esprit la totalité de l'histoire. Ainsi, Béroul rappelle au public l'arrivée par mer de Tristan à la cour de Marc, son combat contre le Morholt (p. 11), sa blessure par un coup de javelot empoisonné (p. 25), son combat contre le dragon (p. 59), les guérisons grâce à Yseut (p. 1 et 18), le philtre (p. 51), le saut de la chapelle (p. 56), etc. La lettre d'Ogrin s'apparente à un résumé de l'histoire, dans un sens favorable aux amants.

Béroul utilise encore le procédé d'effet d'annonce : le public est averti du sort réservé au forestier bien avant qu'il ne soit tué par Gouvernal. Il insère aussi dans la trame narrative des épisodes secondaires : les oreilles de cheval attribuées à Marc, le sort réservé au nain, l'histoire du chien Husdent.

Les personnages

On pourrait croire, à s'en tenir uniquement au manuscrit tronqué du poème de Béroul, que Tristan s'appuie plutôt sur la force de son bras tandis qu'Yseut fait usage des éternelles ruses féminines, les larmes feintes et la parole trompeuse. En réalité, il n'en est rien ; la tradition tristanienne du XIIᵉ siècle nous fournit des deux héros des portraits bien plus complexes.

Le public médiéval n'ignore pas la biographie de Tristan : avant d'être l'amant d'Yseut, il a été un enfant orphelin, fils d'un roi, puis il a eu une carrière héroïque. Chez ses parents adoptifs, Tristan a reçu une éducation soignée et complète. (D'après la *Saga* : les bonnes manières courtoises et les sept « arts » : grammaire, rhétorique et dialectique, qui formaient le *trivium* ; arithmétique, géométrie, musique et astronomie, qui formaient le *quadrivium*.) Il connaît les langues étrangères, il joue merveilleusement aux échecs. C'est d'ailleurs en raison de ses connaissances que les marchands norvégiens décident de l'enlever. Quand il débarque en Cornouailles, il apprend aux habitants l'art de la chasse. Il émerveille le roi Marc de même que la cour d'Irlande par sa musique. Tristan est poète : selon Marie de France, c'est lui l'auteur du *Lai du Chèvrefeuille*.

Tristan est aussi un héros guerrier. Il a été adoubé par son oncle, le roi Marc. C'est lui qui vainc le Morholt et met fin à la servitude du pays de Cornouailles envers l'Irlande. Il récupère le royaume de son père, pour le céder immédiatement à son père adoptif. Il est un de ces nombreux neveux héroïques de la littérature médiévale, tels Roland, Vivien, Gauvain. Il est aussi un héros tueur de dragon, ce qui lui donne le droit de demander la main d'Yseut pour son roi. Il se déguise en jongleur, en marchand.

Tristan n'a rien d'un amoureux transi. S'il pleure au bord de la fontaine, ce n'est pas par faiblesse de caractère, mais parce que dans le code médiéval des sentiments la détresse doit se manifester par des larmes. Pour Yseut, il choisira l'exil, il connaîtra mille tourments. Son amour pour Yseut n'exclut pas le sentiment de culpabilité envers son oncle et roi. Il est capable de vivre près de trois années dans des conditions difficiles au milieu de la forêt du Morrois. Rusé, il adapte son discours en fonction des circonstances, pour protéger son amour. Il prend plaisir à tenir un rôle dans l'épisode du rendez-vous épié. Il se déguise en lépreux, en fou. Il se venge cruellement de ses ennemis. Il est très différent des héros courtois, tel Lancelot.

Yseut est originaire d'Irlande, « le pays des magiciens et des géants », selon la tradition celtique. A-t-elle eu des gants de verre, comme une fée ? Elle est une guérisseuse. Elle est fille de roi, reine elle-même. Elle se sent parfois une étrangère à la cour du roi Marc, mais le peuple l'aime, tout comme le sénéchal Dinas. Elle n'est pas la dame hautaine de la poésie courtoise, mais un personnage riche en nuances, avec des qualités et des défauts. En craignant d'être trahie par Brangien, qui l'avait remplacée dans le lit nuptial, elle cherche à la faire mourir. Dans la forêt, elle ne pense pas à sa souffrance, mais à celle de Tristan. Elle donne un conseil pratique à Tristan pour sauver la vie du chien. Ses larmes, ses évanouissements ne sont pas toujours feints. Elle connaît des moments de faiblesse, mais toujours liés au sort de Tristan. Elle est une femme intelligente et rusée, qui sait tourner les subterfuges de la parole et les détours de la justice à son avantage. Tenant parfois un langage cru, elle n'évite pas un comportement grivois lors du passage du gué sur le dos de Tristan déguisé en lépreux. Elle peut être en proie à la colère ou manifester sa joie devant les ennemis morts.

Le roi Marc n'est ni un personnage odieux, ni le mari berné des fabliaux. Il est tiraillé entre le doute et son amour pour Yseut, entre le désir de vengeance et son affection pour Tristan. Sous l'emprise de la colère et de la jalousie, il veut se venger des amants en les livrant aux bûcher, mais il ne les tue pas même quand il en a la possibilité. Le plus souvent toutefois, il se révèle être un roi sans autorité, un caractère faible qui accorde ou retire sa confiance au gré des circonstances.

Les barons félons descendent tout droit de la poésie lyrique des troubadours : ils sont le personnage collectif, sinon anonyme, des *losengiers*, les ennemis des amants, constamment envieux et médisants. Dans notre roman l'un d'entre eux s'appelle Ganelon, nom traditionnel du traître depuis la *Chanson de Roland*. Ils sont trois parce que ce nombre a une valeur symbolique dans les contes. Couards, ils n'ont pas osé combattre le Morholt ; aucun d'eux n'a le courage de s'opposer à Tristan dans un combat judiciaire. Ils ne se privent pas de révéler la vérité au roi.

Evolution et diffusion de la légende

l'amour provoqué par un moyen artificiel a suscité des réactions négatives. Telle est celle de Chrétien de Troyes, qui néanmoins avait lui-même cédé à l'envoûtement de la légende et l'avait reprise, partiellement ou entièrement, dans une œuvre qui ne nous est pas parvenue. Dans une de ses « chansons d'amour », le poète déclare :

> Jamais je n'ai bu du breuvage
> dont Tristan fut empoisonné,
> mais mon cœur fidèle et ma volonté sincère
> me font aimer encore plus que lui.

L'idée du philtre provoquant une passion fatale revient dans son roman *Cligès*, souvent considéré comme une contestation de la légende de *Tristan*. Cligès qui aime Fénice, l'épouse de son oncle, empereur de Constantinople, lui propose de s'enfuir avec lui en Bretagne, mais Fénice refuse :

> Jamais je n'irai ainsi avec vous,
> car alors, dans le monde entier,
> on parlerait de nous dans les mêmes termes
> que d'Yseut la Blonde et de Tristan.

A partir du début du XIIIe siècle, un phénomène littéraire de grande importance se produit dans l'évolution de la littérature française : l'émergence de la prose. Avant 1200, la prose est rare et se limite au domaine religieux, comme la traduction du psautier et celle des sermons de Bernard de Clairvaux. Dans le genre narratif, c'est le roman qui ouvre la voie de la prose. Les premiers romans en prose sont des adaptations de romans en vers et concernent l'histoire du saint Graal, de Perceval et de l'enchanteur Merlin. Vers 1220, un immense cycle romanesque, le *Lancelot-Graal*, est consacré à la biographie de Lancelot, à ses multiples épreuves chevaleresques, à ses amours avec la reine Guenièvre, à la quête du saint Graal par les chevaliers de la Table Ronde et à l'effondrement du royaume arthurien.

L'histoire de la passion de Tristan et Yseut n'a pas échappé à ce phénomène de réécriture. A partir de 1230, sous l'influence du *Lancelot-Graal*, des auteurs anonymes rédigent un immense *Tristan en prose*, dont le succès fait définitivement oublier les romans en vers antérieurs. L'histoire subit une profonde modification : Tristan devient un chevalier de la Table Ronde, participe à d'innombrables tournois et aventures chevaleresques, s'engage dans la quête du saint Graal. En revanche, la passion des amants occupe une place plus réduite dans la narration, au bénéfice de la célébration de la chevalerie courtoise, des analyses psychologiques, des débats sur la mission des chevaliers. Marc a perdu son caractère complexe pour se transformer en un personnage fourbe et lâche ; c'est lui qui tue Tristan d'un coup de la lance empoisonnée fournie par la fée Morgane. Le roman a été imprimé plusieurs fois à la Renaissance.

A la fin du XIVᵉ siècle, un auteur anonyme a ajouté à ce cycle le roman d'*Ysaye le Triste*, consacré aux aventures et aux amours du fils de Tristan et d'Yseut, puis de leur petit-fils, Marc. Ce roman a connu le succès jusqu'au XVIᵉ siècle. A l'époque de la Renaissance il est encore des auteurs pour réécrire l'histoire de *Tristan et Yseut*, narrations qui annoncent le futur roman de cape et d'épée d'Alexandre Dumas, de Paul Féval et de Michel Zévaco.

Alors que la fin du Moyen Age glorifie plutôt les aventures de Tristan, Charles d'Orléans se souvient d'Yseut, dont la beauté égale celle d'Hélène de Troie et de Criséide :

> Au vieux temps grand renom courait
> De Criséide, Yseut, Hélène
> Et maintes autres qu'on nommait
> Parfaites en beauté hautaine [1].

Tristan devient un personnage célèbre en Italie, le chevalier le plus populaire. En Angleterre, Thomas Malory, auteur de *La Mort d'Arthur* (1485), consacre une partie de ce roman à la légende des deux amants en s'inspirant d'une version française en prose. Rappelons que le roman

---

1. Charles d'Orléans, *Ballades et rondeaux*, Paris, Le Livre de Poche, Lettres gothiques, 1992, p. 174.

de Malory jouira d'un immense prestige dans les littératures anglaise et américaine.

La légende tristanienne a fourni une matière aux artistes : les manuscrits du roman en prose sont richement enluminés. A travers toute l'Europe de la fin du Moyen Age, tapisseries, fresques, broderies, coffrets en ivoire reproduisent des scènes de la légende.

Fortune de la légende à l'époque moderne

Les XVIIᵉ et XVIIIᵉ siècles, classiques et rationalistes, ignorent la légende. En 1804, Walter Scott redécouvre le poème anglais inachevé *Sir Tristrem* (c. 1300) et le fait publier après avoir écrit le dénouement. Les poètes victoriens Alfred Tennyson, William Morris, A. C. Swinburne ainsi que les peintres préraphaélites du milieu du XIXᵉ siècle célèbrent les amants. Passionné du Moyen Age, Thomas Hardy publie en 1923 la pièce de théâtre intitulée *La Fameuse tragédie de la reine de Cornouailles* ; son roman *Tess d'Urbervilles* (1891) était déjà marqué par la légende.

Au XIXᵉ siècle, en Allemagne et en Angleterre, plusieurs auteurs ont écrit des drames sur ce couple célèbre. Wagner lui consacre un opéra, *Tristan et Isolde* (1854-1859). On sait aujourd'hui que Wagner, ami de Baudelaire, de Nerval, de Barbey d'Aurevilly, bons connaisseurs de la légende tristanienne, a lui aussi été un lecteur assidu de la littérature du Moyen Age ; il a pris comme modèle de son scénario le poème de Gottfried et il a probablement lu Béroul. A la différence des auteurs du Moyen Age, Wagner resserre la trame de l'histoire pour se concentrer sur la solitude du couple et sur la relation entre l'amour et la mort. Les dernières paroles d'Yseut résument parfaitement l'inflexion romantique donnée par le compositeur à la légende :

Dans la plénitude du flot,
dans le bruissement des échos,
dans le souffle absolu où s'exhale
le monde, chavirer... s'abîmer...
N'être plus rien à soi...
Joie souveraine... Joie !

L'interprétation que donne Wagner du philtre comme élixir de mort inspire la littérature « fin de siècle ». En Italie, Gabriele D'Annunzio, après avoir écrit un poème à la gloire d'Yseut (1883), évoque la légende dans son roman *Le Triomphe de la mort* (1894). Quelques années plus tard, Thomas Mann reprend l'histoire dans sa nouvelle *Tristan* (1903). Paul Claudel, dans sa pièce *Partage de midi* (1905), change l'orientation finale. Les deux amants, Mesa et Ysé, acceptent la mort pour s'unir en Dieu ; Claudel substitue au dénouement d'inspiration wagnerienne un dénouement d'inspiration chrétienne [1].

Au XXe siècle, deux reconstitutions de la légende sont plus particulièrement connues, celles de Joseph Bédier et de René Louis. « Seigneurs, vous plaît-il d'entendre un beau conte d'amour et de mort ? » — ce début de Joseph Bédier est devenu célèbre. Le savant médiéviste entreprend une reconstitution (1900) à partir du corpus tristanien. Il n'est pas toujours fidèle aux textes médiévaux. Ainsi, il supprime ce que dit Béroul au sujet de la durée limitée du philtre. De même, il introduit des changements dans l'épisode de la surprise des amants par le roi Marc dans la forêt du Morrois : Tristan pense que le roi Marc les a épargnés par pitié et par générosité ; il rend alors Yseut au roi par reconnaissance. On lui a reproché une version « romantique » ou symboliste « fin de siècle » ; il aurait accordé à Tristan « une élégance de chevalier

---

1. Pierre Brunel, « *Partage de midi* et le mythe de Tristan », *La Revue des Lettres*, 1985, p. 213.

mélancolique » et à Yseut une « ferveur idéaliste ». Reste que la reconstitution de Joseph Bédier est de loin la préférée du public.

René Louis opère un renouvellement avec sa version de 1972. Il se propose comme but de reconstruire le conte antérieur à la civilisation féodale et chevaleresque des XIᵉ-XIIᵉ siècles. Il introduit dans la trame du récit des explications historiques ou mythologiques. Les motivations psychologiques ne manquent pas non plus : Yseut ne veut pas être liée contre son gré à un vieux mari ; secondée par Brangien, elle donne sciemment à boire le philtre à Tristan. Yseut ne connaît pas les mêmes tourments que Tristan, car c'est elle qui mène le jeu. Par ailleurs, Marc est réduit au « type accompli de mari berné ».

L'intérêt pour l'histoire ne cesse pas au cours du XXᵉ siècle. Jean Cocteau a écrit le scénario du film *L'Eternel retour* (1943), véritable « film culte » avant la lettre. En musique, le compositeur suisse Frank Martin a écrit *Le Vin herbé* (1940), oratorio fondé sur le texte de Joseph Bédier. En 1980, l'opéra *Trystan and Essylt* est créé par l'Anglais Timothy Porter.

Le succès et la permanence de l'histoire n'ont pas été sans susciter la réflexion. Denis de Rougemont dans *L'Amour et l'Occident* (1ʳᵉ édition 1938) souligne la profonde influence que le roman *Tristan et Yseut* a exercée sur la conscience occidentale, à l'instar d'un mythe. Selon l'auteur, à cultiver cet « art d'aimer », l'homme finit par s'éprendre non pas d'une femme dans sa réalité, mais de « la passion pour elle-même ». L'auteur y reviendra dans un ouvrage ultérieur, pour définir la passion comme « cette forme de l'amour qui refuse l'immédiat, fuit le prochain, veut la distance et l'invente au besoin, pour mieux se ressentir et s'exalter »[1]. Pour Denis de Rouge-

---

1. Denis de Rougemont, *Les Mythes de l'amour*, Paris, Albin Michel, 1996, p. 47.

mont, l'une des plus intéressantes métamorphoses de *Tristan et Yseut* au xx° siècle est le roman *Le Docteur Jivago* (1957) de Boris Pasternak, poète et romancier russe. On pourrait ajouter à cet exemple le roman de l'écrivain suisse Albert Cohen, *Belle du Seigneur* (1968).

Tristan et Yseut continuent de hanter notre imaginaire, peut-être parce que leur histoire met en jeu le destin de l'homme : « Aux origines de notre littérature, face à l'éblouissant Graal..., se dresse la figure mystérieuse du philtre. Dans un cas comme dans l'autre, ce qui est en cause, en définitive, c'est la destinée de l'homme — destinée saisie, en ce qui concerne le *Tristan*, dans ce qui atteint l'être humain au plus intime de lui-même, ce problème du couple (comme on dit aujourd'hui) où, à travers les rapports de l'homme et de la femme, se définissent et s'opposent les exigences respectives de l'individu et de la société, de l'amour et de la raison, dans une dialectique qui va jusqu'à mettre en cause le sens même de la vie, de notre vie [1]. »

Corina STANESCO

---

1. Jacques Ribard, « Quelques réflexions sur l'amour tristanien », dans *Du Mythique au mystique. La littérature médiévale et ses symboles*, Paris, Champion, 1995, p. 143.

BIBLIOGRAPHIE SOMMAIRE

ÉDITIONS CRITIQUES RÉCENTES

Tristan et Iseut. Les poèmes français. La saga norroise. Textes originaux et intégraux présentés, traduits et commentés par Philippe Walter et Daniel Lacroix, Paris, Le Livre de Poche, Collection Lettres gothiques, 1989.

Tristan et Iseut. Les premières versions européennes, édition publiée sous la direction de Christiane Marchello-Nizia, Paris, Gallimard, Bibliothèque de la Pléiade, 1995.

ADAPTATIONS

Le Roman de Tristan et Iseut, renouvelé par Joseph Bédier, Paris, Piazza, 1900, suivi de plusieurs rééditions jusqu'à 1981, Paris, « 10/18 », Coll. Bibliothèque médiévale, dirigée par Paul Zumthor.

Tristan et Iseult, renouvelé en français moderne d'après les textes des XIIᵉ et XIIIᵉ siècles par René Louis, Paris, Le Livre de Poche, 1972.

Tristan. La merveilleuse histoire de Tristan et Yseut restituée par André Mary, Paris, Gallimard, Folio, 1973.

OUVRAGES GÉNÉRAUX

Michel ZINK, *Littérature française du Moyen Age*, Paris, P.U.F., 1992.

— *Introduction à la littérature française du Moyen Age*, Paris, Le Livre de Poche, Références, 2ᵉ édition, 1999.

QUELQUES ÉTUDES CRITIQUES

Alison ADAMS et T. HEMMING, « La Fin du « Tristan » de Béroul », *Le Moyen Age*, 80, 1974, p. 448-468.

Emmanuèle BAUMGARTNER, *Tristan et Yseut. De la légende aux récits en vers*, Paris, P.U.F., 1987.

Michel CAZENAVE, *La Subversion de l'âme : mythanalyse de l'histoire de Tristan et Yseut*, Paris, Seghers, Collection « L'esprit jungien », 1981.

La Légende de Tristan au Moyen Age (colloque de l'Université de Picardie des 16 et 17 janvier 1982), Göppingen, 1982 (*Göppinger Arbeiten zur Germanistik*, n° 355).

Tristan et Yseut : mythe européen et mondial (colloque de l'Université de Picardie des 10 et 12 janvier 1986), Göppingen, 1987.

C. CAHNÉ, *Le Philtre et le venin dans* Tristan et Yseut, Paris, A.G. Nizet, 1975.

Jean FRAPPIER, « Structures et sens du *Tristan* : version commune, version courtoise », *Cahiers de civilisation médiévale*, VI, 1963, p. 255-280 et 441-454.

Pierre GALLAIS, *Genèse du roman occidental : essais sur Tristan et Yseut et son modèle persan*, Paris, Tête de feuilles et Sirac, 1974.

Pierre JONIN, *Les Personnages féminins dans les romans français de Tristan au XIIᵉ siècle*, Aix-en-Provence, 1958.

Pierre LE GENTIL, « La légende de Tristan vue par Béroul et Thomas », *Romance Philology*, 7, 1953, p.111-129.

— « L'épisode du Morrois et la signification du "Tristan" de Béroul », dans *Mélanges Leo Spitzer*, Berne, 1958, p. 267-274.

Jean MARX, « La surprise des amants par Marc », dans

Nouvelles recherches sur la littérature arthurienne, Paris, Klincksieck, 1965, p. 288-297.

René MÉNAGE, « L'atelier Béroul ou Béroul artiste », *Romania*, 95, 1974, p. 145-198.

Gaël MILIN, *Le Roi Marc aux oreilles de cheval*, Genève, Droz, 1991.

Peter S. NOBLE, « Le Roi Marc et les amants dans le Tristan de Béroul », *Romania*, CII, 1981, p. 221-226.

Daniel POIRION, « Le Tristan de Béroul : récit, légende et mythe », *L'Information littéraire*, XXVI, 1974, p. 199-207.

Guy RAYNAUD DE LAGE, « Du style de Béroul », *Romania*, LXXXV, 1964, p. 518-530.

— « Les romans de Tristan au XIIe siècle », *Grundriss der romanischen Literaturen des Mittelalters*, vol. IV : *Le roman jusqu'à la fin du treizième siècle*, t.1, Heidelberg, Winter, 1978, p. 212-230.

Jacques RIBARD, « Pour une interprétation théologique du roman de " Tristan " de Béroul », *Cahiers de civilisation médiévale*, XXVIII, 1985, p. 235-242.

Antoinette SALY, « Tristan chasseur », dans *Mythes et dogmes. Roman arthurien. Epopée romane*, Orlénas, Paradigme, 1999, p. 123-130.

Jean SUBRENAT, « Sur le climat social, moral, religieux du " Tristan " de Béroul », *Le Moyen Age*, 82, 1976, p. 219-261.

Philippe WALTER, « Le Solstice de Tristan », *Travaux de linguistique et de littérature*, XX, 1982, p. 7-20.

— *Le Gant de verre. Le mythe de Tristan et Iseut*, La Gacilly, Artus, 1990.

— « Orion et Tristan ou la sémantique des étoiles », *Senefiance*, XIII, 1983, p. 437-449.

Table

Table   159

DOSSIER

Le Livre de Poche s'engage pour
l'environnement en réduisant
l'empreinte carbone de ses livres.
Celle de cet exemplaire est de :
250 g éq. CO_2
Rendez-vous sur
www.livredepoche-durable.fr

PAPIER À BASE DE
FIBRES CERTIFIÉES

Composition réalisée par NORD COMPO

Achevé d'imprimer en janvier 2013, en France sur Presse Offset par
Maury-Imprimeur - 45330 Malesherbes
N° d'imprimeur : 176690
Dépôt légal 1re publication : août 2000
Édition 12 - janvier 2013
LIBRAIRIE GÉNÉRALE FRANÇAISE - 31, rue de Fleurus - 75278 Paris Cedex 06

31/6072/8